UN PROJET
POUR LA FRANCE

Avec le libéralisme participatif

Pour Jean Pierre Mathieu

Serge DASSAULT

UN PROJET POUR LA FRANCE

Avec le libéralisme participatif

VALMONDE
LAYEUR

© Valmonde, 2001
10, place du Général Catroux, 75858 Paris Cedex 17
ISBN : 2-911468-72-4

« Mais arrêtez donc d'emmerder les Français.
Il y a trop de lois, trop de textes,
trop de règlements dans ce pays.
On en crève ! ».
Georges POMPIDOU

« La bonne politique économique
n'est ni de Gauche, ni de Droite,
c'est celle qui réussit ».
Tony BLAIR

TABLE DES MATIÈRES

9

**CHAPITRE III : UN OUTIL D'EFFICA-
CITÉ ÉCONOMIQUE ET DE PAIX
SOCIALE : LA GESTION PARTICIPA-
TIVE** 103

13

PRÉFACE

Depuis longtemps, je fais un rêve.

Je fais le rêve d'une société où l'épanouissement de l'homme est au centre des préoccupations de tous, où le respect de la dignité, la tolérance, la solidarité, l'efficacité, la compétence et la motivation des hommes sont reconnus, je fais le rêve d'une société où la liberté, la responsabilité et le bien-être sont les objectifs fondamentaux, où les antagonismes religieux et raciaux n'existent plus.

Je fais le rêve d'une société où les *a priori* et les dogmes idéologiques du clivage politique Droite-Gauche ont disparu, en France — comme ils ont disparu dans d'autres pays — laissant l'extrême droite et l'extrême gauche à leurs errements. S'il peut y avoir divergence sur les moyens, il y a déjà convergence sur les objectifs (réduction du chômage, augmentation du niveau de vie...) mais manque de courage et de volonté pour les obtenir.

Je fais le rêve d'une société où le chômage est faible, où les plus vulnérables sont mieux aidés et mieux protégés mais aussi où les plus entreprenants ne se voient pas confisquer les fruits de leurs efforts, de leur réussite et ne sont pas contraints de s'expatrier.

Je fais le rêve d'une société où les hommes travaillent sans conflits sociaux, sans grèves, sans lutte de classes, où ils participent libres et responsables au développement de leurs entreprises, où les intérêts des actionnaires et des salariés sont solidaires et ne s'opposent plus les uns aux autres mais, au contraire, s'allient pour satisfaire leurs clients.

Il n'est pas interdit de rêver... Et rien n'interdit de passer du rêve à la réalité si on en a la volonté. C'est pour cela que j'ai écrit ce livre.

Il représente l'ensemble des solutions que je propose pour que la France se modernise dans tous les domaines :
• Pour qu'elle puisse faire face à la concurrence de la mondialisation qu'il faut accepter comme une réalité de tous les jours ;
• Pour qu'elle abandonne les vieux clichés idéologiques qui ne mènent à rien et qui paralysent notre économie, tout en ayant le souci de l'amélioration continue des conditions de vie de tous les Français ;
• Pour que les électeurs prennent conscience que la gestion de notre pays doit être mise entre les mains d'hommes conscients de l'efficacité des méthodes libérales, déjà appliquées dans de nombreux pays, mais qu'aucun parti, qu'il soit

de Droite ou de Gauche, n'a encore réussi ou osé appliquer en France.

Tant que nos hommes politiques chercheront avant tout à se faire élire en proposant aux électeurs des solutions certes alléchantes (travailler moins, gagner plus, partir plus tôt à la retraite, punir ceux qui réussissent en les accablant d'impôts, etc.) mais qui sont contraires à l'intérêt du pays, rien ne pourra être résolu. Or, c'est ce qui se passe depuis de trop nombreuses années. Antoine Pinay disait déjà : « Un candidat ne doit pas proposer une politique pour plaire aux électeurs mais pour sortir le pays de ses difficultés. »

Les idées que j'expose dans ce livre me sont venues de l'expérience que j'ai acquise tout au long de ma vie. Mon incarcération pendant la guerre à Montluc et à Drancy, mes études à l'école Polytechnique, mon parcours d'ingénieur puis comme président de Dassault Électronique, de chef d'entreprise ayant subi les grèves de 1968 puis ensuite comme président de Dassault Aviation, responsable de milliers de collaborateurs de tous niveaux, soucieux de satisfaire, avant tout, ses clients, et de travailler en équipe avec mon personnel. À tout cela s'ajoute mon expérience de maire d'une commune de 40 000 habitants, Corbeil-Essonnes (anciennement gérée — pendant trente-six ans — par les communistes). J'y suis en contact permanent avec tous les habitants et leurs problèmes sociaux et humains posés chaque jour par ceux qui vivent dans des conditions difficiles. J'ai été confronté à la délinquance que j'ai réussi à

réduire uniquement par l'écoute et la considération de chacun. Ces expériences m'ont fait
comprendre que dans un pays, dans une commune ou dans une entreprise, personne ne doit
être oublié. Il est nécessaire de s'occuper de tous
et d'obtenir un consensus sur les actions à mener
dans l'intérêt général.

Ces idées, que je propose, mais que personne
n'a encore voulu ou osé mettre en application, ne
m'appartiennent pas. Elles sont à la disposition de
tous. Si un parti ou un candidat à la présidence de
la République en reprend à son compte tout ou
partie, je pense que ce livre n'aura pas été inutile
pour la France.

Serge DASSAULT

INTRODUCTION

Il faut se débarrasser d'un certain nombre d'idées fausses dont l'application va à l'encontre du but recherché.

- La richesse ne se partage pas, elle se crée.
- Le principal moteur de l'économie n'est pas l'État, ce sont les hommes à condition qu'ils soient motivés à tous les échelons. L'État ne doit pas agir à la place des hommes. Il doit rester dans sa fonction d'arbitre.
- L'augmentation des ressources de l'État ne sera pas obtenue par une augmentation des impôts mais par la croissance de l'économie et la réduction des dépenses. L'impôt tue l'impôt et démotive ceux qui le payent. Certains vont jusqu'à cesser leur activité, voire à s'expatrier.
- Le travail ne se partage pas, il se crée.
- La réelle diminution du chômage ne se fera pas par la réduction du temps de travail mais par la création d'emplois nouveaux réalisée grâce à la naissance de nouvelles entreprises. Il faut faciliter leur création ainsi que le développement des PME par des crédits appropriés.

- Il ne faut plus parler de la promotion des entreprises sans y associer celle de leurs collaborateurs. De même, il ne faut plus parler de la défense des intérêts des salariés sans s'occuper aussi de celle des intérêts des entreprises. Les uns et les autres sont solidaires.

Les réalités économiques, sociales, humaines, le monde économique et le monde politique sont si liés qu'il n'est plus possible de les séparer. Les activités économiques ne peuvent se développer que si le cadre politique et le climat social créent des conditions favorables. Mais, une politique sociale inconsidérée peut comprometre l'activité économique au point de l'asphyxier et de la détruire.

Car la vie d'une nation forme un tout. Elle ne doit pas être faite d'oppositions ou de luttes en faveur de telle ou telle catégorie sociale. Elle doit être fondée sur la solidarité de tous.

Le progrès économique et le progrès social sont intimement liés mais il ne faut pas se tromper dans l'ordre des facteurs. Privilégier le progrès social par rapport au progrès économique, cela aboutit au collectivisme et ruine l'économie ainsi que les salariés. Privilégier le progrès économique, sans se préoccuper du progrès social, c'est le capitalisme du XIXe siècle qui a engendré la lutte des classes.

> Le progrès économique doit s'associer au progrès social en devenant participatif.
> Rien ne peut advenir ou évoluer si les hommes ne sont pas motivés à tous les échelons. Ils le seront si on leur donne des responsabilités et si on ne leur enlève pas le fruit de leur travail.

Ainsi, la politique la plus absurde est celle qui, multipliant les contraintes et les impôts, aboutit à la démotivation des responsables économiques. Elle conduit inévitablement à l'échec.

L'idéologie ne résoudra jamais les problèmes économiques car elle méconnaît les réalités et les lois de l'économie. Les incantations et les grands discours ne servent à rien. Le communisme, fondé sur la lutte des classes et la destruction de l'entreprise privée, a été un immense échec économique, social et humain dans le monde entier. Certains pays encore communistes l'ont compris, d'autres pas encore, même en France. Rien ne pourra advenir que par des hommes motivés et des entreprises privées performantes appliquant ce que j'appelle la « gestion participative »[1] qui allie responsabilité, considération et intéressement aux bénéfices dans un État libéral.

Il faut dire ce qu'il est possible de faire et ce qui ne l'est pas. Il faut adopter le langage de la responsabilité, celui de la rigueur, celui de la vérité.

---

1. Voir chapitre II.

Il ne faut jamais faire des promesses qu'il ne sera pas possible de tenir.

Pourquoi ne pas oser dire que sans liberté d'entreprendre, sans réduction des charges sur salaires et des impôts, il n'y aura ni développement économique ni création d'emplois durables?

Pourquoi ne pas oser dire que le profit des entreprises est nécessaire, indispensable? Que plus l'entreprise fera de bénéfices, plus elle sera prospère, plus les emplois existants seront assurés et plus elle en créera de nouveaux? Que, pour éviter de retomber dans la lutte des classes, il sera nécessaire de rénover la participation?

Pourquoi ne pas oser dire qu'augmenter les impôts directs démotive les responsables économiques et les conduit à l'inaction ou au départ pour l'étranger?

Pourquoi ne pas oser dire qu'il faut travailler plus et non travailler moins ou partir plus tard à la retraite? Les contraintes de la mondialisation et même de l'Union européenne seront là pour nous le rappeler à travers la concurrence qu'elles nous imposent.

Il serait temps :
• De réhabiliter les entrepreneurs et les cadres, moteurs de l'économie et de leur donner la place qu'ils méritent,
• De les libérer des trop nombreuses contraintes fiscales et administratives qui les paralysent,

- De favoriser la création et le développement d'entreprises nouvelles par des crédits appropriés,
- De développer la motivation de tous, cadres et salariés, en leur accordant la liberté d'action qu'ils demandent et en leur laissant les fruits de leur travail,
- De favoriser la mise en place de la gestion participative, seule capable d'associer dans un même but, actionnaires et salariés, à la satisfaction des clients, véritables maîtres du jeu.

Les maîtres mots d'une politique efficace sont, pour moi : **tolérance, dignité, motivation, bien-être, participation.** Cette philosophie transcende les notions de gauche et de droite qui ont toujours cherché à favoriser une classe sociale par rapport à une autre. Il faut maintenant les associer. Seule compte la réalité. C'est pour cela que la « bonne politique », comme le dit M. Tony Blair, « n'est ni de droite, ni de gauche : c'est celle qui réussit. » Je rejoins également le Premier ministre britannique lorsqu'il déclare : « *Nous ne devons pas nous faire les gardiens immobiles de dogmes révolus face à la nouvelle donne de la mondialisation qui est désormais incontournable.* »

C'est ainsi qu'avec le libéralisme participatif que je vais maintenant présenter, il faut oublier les idéologies et la politique révolues de la Droite et de la Gauche et rendre à la France sa puissance économique et aux Français leur bien-être.

23

CHAPITRE I

LES OBJECTIFS
DU LIBÉRALISME
PARTICIPATIF

L'amélioration du bien-être des citoyens doit être l'aboutissement de toute politique. Elle couvre à la fois la qualité de la vie et l'amélioration des revenus. Tous les partis politiques sont d'accord sur les objectifs, ce sont les moyens qui les divisent. Mais, jusqu'à présent, aucun n'a réussi car aucun n'a appliqué le « libéralisme participatif ».

1) – La distinction Gauche-Droite a de moins en moins de signification pour les électeurs.

Le drame de la situation politique en France, en ce début de XXIe siècle, est que le clivage politique se concrétise toujours autour de noms de partis — ou d'hommes politiques —, sans que l'on ne sache plus très bien à quoi ils correspondent et quels sont leurs programmes. Or, si les étiquettes se multiplient, les programmes restent mystérieux.

La « gauche » a su atténuer ses différences

(Rocardienne, Fabiusienne, Mitterrandienne, Jospinienne) dans le seul Parti socialiste. Elle a su créer la « Gauche Plurielle » en associant avec elle et contre nature les communistes et les Verts avec lesquels ils n'ont aucun point commun. Cela lui a permis de prendre le pouvoir. La Droite de son côté reste piteusement divisée avec le RPR, l'UDF, Démocratie Libérale qui n'arrivent pas à s'unir en ayant pourtant beaucoup de points communs.

Cela est si vrai que la Droite, élue triomphalement en 1993, a échoué pitoyablement en 1997 après avoir fait une politique de gauche, n'ayant pas « osé » appliquer son propre programme de droite. Elle n'a pas osé privatiser massivement. Elle a augmenté fortement tous les impôts, y compris ceux de ses propres électeurs, comme l'impôt sur les grandes fortunes, responsable de la fuite de cerveaux et de nombreux retraités. Elle a multiplié les contraintes nouvelles sans doute pour se « dédouaner » ! Elle a élargi les champs d'actions de l'État, politique coûteuse et inefficace, chère, dans tous les sens du terme, à ses adversaires. En vérité, il y a eu un divorce entre les électeurs et ceux qu'ils avaient élus. Ces derniers n'ont pas appliqué le programme souhaité par ceux qui les ont amenés au pouvoir. C'est pourquoi ils ont perdu les élections législatives. Ajoutons pour être honnête que le grand responsable de cet échec est le Front National qui a multiplié les triangulaires au profit des socialistes. Heureusement , l'extrême droite est maintenant divisée à son tour.

La Gauche, revenue au pouvoir en 1997, sans s'y attendre, a mieux compris la situation et, bien que « plurielle », elle a entamé, sans complexe, une politique libérale avec allègements fiscaux et privatisations. Seul l'acharnement à vouloir appliquer les 35 heures, dont on n'a pas fini de subir les conséquences néfastes, détone dans ce programme. Car cette mesure va conduire les entreprises à augmenter leurs coûts de fabrication et à réduire leur compétitivité, surtout dans le cadre de la mondialisation, ce qui aggravera d'autant nos impôts ou notre déficit budgétaire. Par entêtement idéologique, cette loi coûtera plus de 100 milliards de francs pour peu d'emplois créés. Le recul enregistré du chômage n'est dû essentiellement qu'à la croissance économique générale et non à la réduction du temps de travail.

La « majorité plurielle » oblige ainsi le gouvernement à prendre des décisions ou des orientations que les socialistes, ou du moins certains d'entre eux, n'adopteraient pas s'ils n'y étaient contraints pour maintenir la cohérence de cette majorité contre nature. Des ministres « socialistes » comme Strauss-Kahn ou Fabius ne dénoteraient pas dans une majorité sans communistes ni Verts... Dès lors, pourquoi certains partis qui, en fait, ne sont pas loin d'avoir le même programme ne se rapprocheraient-ils pas? Ils ne sont séparés que par une frontière idéologique de plus en plus fictive. En réalité, les dirigeants de la Gauche n'y croient plus guère. Une fois au pouvoir, contraints de prendre des décisions, ils oublient leurs propres propositions. Heureusement, ils sont plus réalistes et moins complexés que leurs homologues de Droite.

Nous continuons à raisonner en employant des mots qui n'ont plus de sens.

Peut-on encore définir ce qu'est, aujourd'hui, le « communisme » et le programme du Parti communiste en France? Même Robert Hue se le demande... et ses défaites électorales n'y sont pas étrangères.

Le communisme a quasiment disparu de la planète sauf à Cuba et en Corée du Nord et dans quelques villes françaises attardées, après avoir fait des ravages considérables dans le monde, asservi et détruit des millions d'hommes pour rien, ravagé ou retardé les développements économiques dans tous les pays où il a été appliqué. Personne n'avait le droit de mettre en doute son programme inepte et les opposants étaient massacrés, enfermés dans des camps, ramenés au rang d'esclaves. Quel triste bilan...

Ce n'est pas en asservissant les hommes qu'il est possible de les motiver. Tout cela conduit à l'échec total.

Cela n'empêche pas qu'il y ait encore, en France, un Parti communiste qui s'accroche toujours à ses idées fausses et à ses chimères. Comprendra-t-il un jour ce qu'impose la réalité économique? La Chine l'a bien compris car son approche économique est de plus en plus libérale. Pour séduire les électeurs, les communistes se présentent toujours en défenseurs des défavorisés dont ils n'ont pas le monopole, mais sans jamais rien résoudre ; la preuve a été faite.

En vérité, il y a des libéraux aussi bien à Gauche qu'à Droite et, s'ils se réunissaient, ils pourraient ensemble appliquer enfin une politique « libérale participative » qui résoudrait bien des problèmes. Il est temps de rebattre les cartes et de les redistribuer en laissant de côté les extrémistes, aussi bien l'extrême Gauche que l'extrême Droite.

Le vieux système politique français qui classe encore les partis politiques en fonction de la défense des intérêts des différentes classes sociales, a de moins en moins de raison d'être. La défense des intérêts entre des ouvriers, des artisans, des cadres, des chefs d'entreprise, séparément, est devenue un non-sens économique, social et politique. Il n'y a plus lutte mais intérêt commun.

D'ailleurs, ce clivage catégoriel se réduit au fur et à mesure que le niveau de vie général augmente. La répartition des activités professionnelles varie aussi profondément. Le nombre d'ouvriers diminue de plus en plus au profit des techniciens et des employés. L'automation et la robotisation ne font qu'accélérer cette tendance. La sous-traitance des fabrications à l'étranger pour permettre aux entreprises françaises d'être compétitives, et donc d'exister, accélère elle aussi ce phénomène.

> Le pays se divise de plus en plus, entre ceux qui ont du travail et ceux qui n'en ont pas, entre ceux qui ont les moyens de vivre et ceux qui ne les ont pas. Tel est le véritable problème. Il se pose à tous les partis politiques mais aucun n'a su le résoudre.

Les Français sont de plus en plus nombreux à ne pas se reconnaître dans les partis existants. C'est pour cela que ceux-ci subissent une érosion constante du nombre de leurs adhérents et que le niveau d'abstention à chaque élection est élevé. Les électeurs n'ont que faire des grandes théories ou des beaux discours, ils souhaitent autre chose. Ils veulent un programme qui les satisfasse et des hommes proches d'eux.

2) – Que veulent les Françaises et les Français?

Toutes les Françaises et tous les Français souhaitent la même chose : des emplois pour eux et pour leurs enfants, des responsabilités dans leur travail, des rémunérations plus élevées, moins d'impôts, la possibilité de se protéger en cas de difficultés (accident, maladies, etc.), des logements décents et agréables, des transports pratiques, la sécurité, un enseignement capable de donner à leurs enfants des emplois durables, une politique d'aide aux personnes âgées et aux handicapés, une administration plus efficace, plus rapide, plus humaine, un développement des loisirs permettant de pratiquer un sport et de partir en vacances, et surtout moins de lois, moins de contraintes, moins de tracas.

En ce qui concerne la vie politique, ils n'ont que faire d'hommes politiques qui cherchent à se faire élire en proposant des programmes pour séduire les électeurs mais pas pour résoudre les vrais problèmes.

Les Françaises et les Français souhaitent que des hommes compétents puissent, pour le bien de tous :
• Gérer efficacement l'État, l'administration, les départements et les villes;
• Garantir toutes leurs libertés;
• Construire une France forte, respectée et un monde où règne la paix;
• Et, surtout, réduire le chômage et accroître le niveau de vie.

3) – Que propose le libéralisme participatif sur le plan économique, social et humain?

Comme le suggère son nom, le libéralisme participatif associe les méthodes économiques libérales à l'action participative. Seule l'association des deux méthodes, libéralisme et participation, permettra la motivation de tous les acteurs économiques et réussira son action économique et sociale.

Le libéralisme participatif propose une société :

- Où les valeurs de liberté, de respect de la dignité, de tolérance, de bien-être sont garanties ;
- Plus humaine, où la place de l'individu dans le groupe social est primordiale, où il est respecté, où on lui fait confiance, où il joue un rôle déterminant, où il est motivé, où la priorité est donnée aux problèmes humains ;
- Qui promeut l'être humain au lieu de l'asservir, en lui donnant dans toutes ses activités le maximum de responsabilités. Cela implique le droit à la concertation et le droit à la discussion mais non le droit à l'anarchie et à l'indiscipline ;
- Où chacun est conscient d'être à sa place et d'apporter sa contribution à l'efficacité de la vie politique ou de l'entreprise ;
- Où les gains de l'effort et du travail ne sont plus confisqués par une fiscalité démotivante.

Il faut bâtir une société fraternelle qui n'oublie personne, qui permet une augmentation continue et réelle du pouvoir d'achat, qui réalise une meilleure qualité de vie.

Répondre ainsi aux désirs des Français serait une source prodigieuse d'efficacité, favorable à tous.

Car il s'agit, non pas de favoriser telle ou telle catégorie sociale, mais d'agir en faveur de tous. Les partis de « classe » qui réclament des avantages pour leurs électeurs, sans se préoccuper des autres, détruisent le tissu économique, social et moral du pays et, en fin de compte, ne favorisent pas leurs électeurs.

Il s'agit ainsi de proposer des objectifs humains, sociaux, prenant en compte toutes les catégories sociales et, plus particulièrement, les plus défavorisées.

4) – Des valeurs pour guider notre action.

L'Homme est systématiquement au cœur de tous les problèmes. De la considération dont il se sentira l'objet dépendra sa motivation et donc son efficacité.

Il ne faut pas travailler contre les hommes mais avec eux et surtout pour eux. Il ne faut jamais travailler pour soi seul car cela ne dure pas. La promotion de l'homme implique la reconnaissance de sa dignité, la tolérance des idées qu'il exprime, la garantie du plein exercice de ses responsabilités, de son droit à l'information et de ses libertés.

Ce sont ces valeurs fondamentales qui guident le libéralisme participatif.

Même si les croyances religieuses restent parmi les meilleurs guides des vertus à appliquer, à condition d'enseigner aussi la tolérance, notre société n'aide plus à distinguer les repères existants. La jeunesse a pourtant soif de valeurs pour la guider. Liberté, dignité, bien-être, pourraient être les maîtres mots d'un nouveau credo moral et politique.

- La **liberté** dans tous les domaines est indispensable pour permettre l'épanouissement des hommes et l'exercice de leur responsabilité;
- La **dignité** correspond au besoin le plus profond de chacun d'être considéré par les autres, sinon les insatisfactions correspondantes font naître révoltes, révolutions et conflits;
- Le **bien-être** est la revendication première de tout un chacun, liée non seulement au niveau de vie mais aussi à la qualité de la vie. Il dépend essentiellement de l'emploi et des revenus nets d'impôts, de l'environnement et de la lutte contre toutes les pollutions.

Seule la réalisation simultanée de ces trois objectifs peut motiver les hommes. Avant d'être un taux de croissance, le développement économique repose sur le choix de ces valeurs.

A) La reconnaissance de la dignité implique tolérance et solidarité.

La considération est le besoin le plus fondamental de tout être humain. La reconnaissance de la dignité doit être la notion la plus fondamentale de toute philosophie. Elle est un des éléments clés de la vie en famille, en équipe, au travail, en politique. Elle implique le respect d'autrui et la tolérance.

Tout être humain ressent, au plus profond de lui-même, la nécessité de voir sa dignité reconnue par les autres, tout au long de sa vie et dans toutes les circonstances notamment familiales et professionnelles. La reconnaissance de la dignité commence par des gestes de communication élémentaires comme les salutations, tendre la main.

Si un individu a l'impression que cette dignité lui est déniée, il sera tenté d'exprimer sa soif de reconnaissance par la violence. Ainsi, dès son plus jeune âge, l'enfant crie pour que ses parents s'occupent de lui. Certains jeunes cassent ou brûlent pour que les adultes s'intéressent à eux...

Chacun, à tous les âges et dans tous les milieux, aime que sa compétence, ses réussites, ses succès, sa façon de se comporter dans des situations difficiles ou dans des compétitions, soient reconnus. Chacun aime être félicité pour ce qu'il réalise.

Priver quelqu'un de considération, c'est déjà le priver de liberté.

Il en va ainsi du racisme qui exclut délibérément de la dignité certaines catégories d'êtres humains, de même que l'intolérance religieuse qui méprise — quand elle ne les supprime pas — tous ceux qui n'ont pas les mêmes croyances.

Cela doit disparaître car l'intolérance raciste et religieuse est un des pires fléaux de l'humanité. Malheureusement, on n'en constate pas, aujourd'hui, la disparition, bien au contraire, que ce soit au Moyen-Orient, en Afrique ou même en Europe.

Le manque de considération aboutit aux

conflits sociaux, aux guerres, aux révolutions. La violence des luttes anticolonialistes a trouvé sa source dans l'absence totale de considération des colonisateurs vis-à-vis des colonisés. Tragique erreur, lourde de conséquences, et qui a propagé tant de drames et de massacres.

Le respect de la dignité implique la **solidarité**.

Être solidaire de ceux qui souffrent, c'est aussi reconnaître leur dignité.

La solidarité est la prise de conscience qu'il n'est pas possible d'agir seul et que chacun, quel qu'il soit, dépend des autres. Ce qui donne la force à un groupe, c'est la solidarité qui se manifeste entre ses membres, pour aboutir à un objectif commun que ce soit au sein de la famille, d'une équipe sportive, d'une entreprise, ou dans l'action politique et sociale.

Nous sommes voués, pour réussir, à inventer, tous ensemble, un monde harmonieux dans lequel chacun a sa place. L'exclusion ne mène qu'à la révolte.

Une société où la solidarité n'existe pas génère son autodestruction. Elle se trouve minée, sapée, anéantie par des conflits internes. Sans une société organisée, les hommes n'existent pas. La France occupée par les Allemands n'était plus une société organisée, solidaire ; elle partait à la dérive. C'est dans la clandestinité, dans les maquis et à Londres, que renaissait une autre France, soudée, courageuse, qui allait prendre la relève. Malheureusement, après la victoire, la cohésion retrouvée pendant les combats ne dura pas.

Le contraire de la solidarité, c'est l'égoïsme, l'ignorance des autres, le « ça ne me concerne pas » qui aboutit à la destruction de la société. Une société sans solidarité se décompose et un jour, ceux qui n'ont pas compris le message, perdent leur liberté et disparaissent. Le destin individuel doit s'estomper devant le destin collectif. Dans les cas extrêmes, c'est la solidarité vis-à-vis de la Nation qui peut conduire les soldats à sacrifier leur vie.

La solidarité implique aussi que chacun se préoccupe de **la chose publique** et participe au fonctionnement des institutions, de la vie politique locale ou nationale. Ceux qui exercent une activité professionnelle devraient aussi faire de la politique, même si cela prend du temps. Chacun devrait pouvoir répartir son temps entre son travail, sa famille et une action politique, sociale ou collective.

Ceux qui ne travaillent pas, les retraités notamment, formeraient d'excellentes équipes politiques. Sans obligations professionnelles, avec des revenus, des compétences et de l'expérience, ils ont tous les atouts pour réussir en politique, même s'ils commencent tard.

« Malheur à ceux qui refusent de s'occuper de la chose publique dans une démocratie, ils prennent le chemin de la servitude » professait déjà Aristote.

Que ceux qui se plaignent de ne pas voir

appliquer la politique qu'ils souhaitent ne s'en prennent qu'à eux-mêmes. Ils laissent à d'autres le soin de prendre, à leur place, des décisions lourdes de conséquences. Il est toujours possible de critiquer les hommes politiques en place mais il est plus utile d'agir pour pouvoir les remplacer si l'on n'est pas d'accord avec eux.

> La politique doit être l'affaire de tous car elle agit sur tout.

L'étatisme supprime les responsabilités individuelles en enfermant les exécutants dans un ordre hiérarchique très strict avec un maximum de contraintes administratives. Il impose au lieu de proposer. Au contraire, le libéralisme participatif propose de conférer, à chacun, le droit aux responsabilités dans les domaines de l'entreprise et de la vie de la cité.

B) Liberté et responsabilité.

> La **liberté** n'est pas un état naturel. Elle doit être défendue tous les jours. Comme la santé, on ne s'aperçoit de son prix que lorsqu'on l'a perdue, mais il est alors trop tard.

L'Homme ne peut trouver bonheur et équilibre qu'à la seule condition qu'il se sente responsable de son sort, qu'il ait conscience de sa dignité, en un mot qu'il se sente libre.

La liberté, ce n'est pas faire tout ce que l'on a envie de faire. Elle doit être respectueuse de celle du voisin et nécessite l'obéissance à des lois communes reconnues justes et acceptées. Je ne conçois pas la liberté dans le sens de permettre, de laisser faire n'importe quoi, mais dans celui de donner à chacun la possibilité de s'épanouir, de développer ses capacités, tout en respectant celles des autres.

– La **liberté** est un bien inestimable et fragile. Elle doit être garantie pour tous. Il faut la préserver dans tous les domaines. Libertés de conscience, d'expression, de réunion, de déplacement, de vote, de candidature, d'entreprendre, de travail forment un tout indissociable. Dès que l'une d'elles est menacée, les autres risquent de sombrer.

– La **liberté de conscience**, notamment religieuse, doit être garantie dans le cadre de notre esprit de tolérance. Les sectes, aliénatrices de cette liberté fondamentale, doivent être identifiées, démasquées et combattues avec la plus grande fermeté.

– La **liberté de déplacement** ne doit être soumise à aucun arbitraire. **Aucune garde à vue ou incarcération ne doit être prononcée à la suite de dénonciations souvent anonymes et surtout avant toute condamnation.** La mise en prison **préventive** pour faire parler les témoins est scandaleuse et doit être interdite.

41

La présomption d'innocence doit primer avant toute condamnation éventuelle. La mise en prison préventive doit
être encadrée par des lois précises. Le seul cas où la prison préventive doit être appliquée est lorsque l'individu concerné est dangereux pour la sécurité publique. Cela est loin d'être toujours le cas. Car on enferme maintenant, pour un oui ou pour un non, des hommes politiques, des chefs d'entreprise ou leurs collaborateurs pour les faire parler et dénoncer d'autres personnes. C'est une nouvelle forme de torture qui doit être proscrite.

- La **liberté d'entreprendre** implique, quant à elle, la levée de contraintes administratives paralysantes et des charges fiscales trop lourdes.
- La **liberté de travail** doit être garantie partout car il est intolérable que, dans une entreprise, dans un service public, une minorité puisse empêcher la majorité de travailler sous prétexte de grève.
- La **liberté politique**, fixée dans le cadre des lois, suppose l'indépendance nationale. Celle-ci, maintes fois menacée, devrait être de mieux en mieux garantie dans le cadre de l'Europe. Il ne faut pas pour autant négliger la **défense européenne** car croire que l'on ne risque rien et ne pas se prémunir est le plus sûr moyen de disparaître un jour.

Or, la Défense européenne passe d'abord par la Défense nationale et ceci tant que l'Europe sera dans le flou artistique où chaque nation garde toutes ses prérogatives. Or, la Défense nationale restera toujours le parent pauvre du budget quel que soit le gouvernement car elle est considérée comme impopulaire. Le malheur est que, lorsque l'on en a besoin, on n'a pas les armements nécessaires. On l'a vu en 1914, où l'on avait oublié les mitrailleuses et en 1939-1940 où la France ne possédait pas les avions et les chars nécessaires. C'est pour cela que la Défense nationale et l'industrie d'armement devraient rester prioritaires, car nous perdrions toute indépendance et toute capacité d'être présents dans les conflits en attendant que l'Europe prenne le relais.

Il faut l'apprendre à nos enfants, plus heureux que nous, de ne pas avoir connu directement de guerre. N'oublions jamais que l'Histoire nous a appris que la plupart des civilisations qui ont disparu au cours des siècles avaient cessé de croire à des menaces et avaient, peu à peu, négligé leur défense. Elles ont toutes été détruites par d'autres moins civilisés mais mieux armés.

Les menaces n'ont pas disparu même s'il n'est pas possible de prévoir, à coup sûr, d'où elles viendront. Il peut toujours y avoir des changements politiques en Russie ou ailleurs et nous risquons alors de revoir fleurir les menaces. La guerre du Golfe n'est pas si lointaine et celle du Kosovo a montré l'inefficacité de notre action devant la volonté d'un petit peuple.

> La liberté ne peut se concevoir sans responsabilité.

L'exercice des responsabilités est le seul moyen

d'assumer sa personnalité et d'agir avec efficacité. Ce besoin existe dès le plus jeune âge, il est primordial que les parents soient un exemple et développent ce sentiment au sein de la cellule familiale. Les enfants qui réussissent le mieux sont, souvent, ceux à qui ont été confiées, très jeunes, des responsabilités.

Être responsable, c'est respecter les autres car l'exercice de responsabilités nécessite le respect d'autrui. Quand ce respect n'existe plus, c'est la porte ouverte à tous les excès et au délitement, à terme, de la société.

L'assistanat conduit à la perte de toutes responsabilités et de toute motivation. Cela est vrai tant au niveau individuel qu'au niveau collectif. Un proverbe chinois dit : « *Il vaut mieux apprendre à pêcher que de donner des poissons* ».

Ce n'est pas uniquement en payant que l'on apporte le bonheur aux démunis, c'est avant tout et surtout en les considérant et en les responsabilisant pour qu'ils retrouvent du travail et les moyens de vivre.

C) Le bien-être.

Le bien-être, c'est avant tout disposer de revenus suffisants. Il faut pour cela avoir un emploi. Sans emploi, sans revenus, c'est la descente aux enfers. Le chômage est la plaie majeure de notre société. Il faut tout mettre en œuvre pour le faire baisser et nous y arriverons mieux si tout le monde s'unit pour le combattre en appliquant les bonnes méthodes et surtout en aidant ceux qui n'ont pas de formation, à apprendre un métier.

Le bien-être passe aussi par la recherche du meilleur environnement possible de l'habitat et du travail : environnement du travail, cadre de vie pour la famille, logement agréable, réduction du bruit, de la pollution sont indispensables, etc.
C'est un élément prioritaire qu'il faudra prendre de plus en plus en compte.

L'application du modèle de l'entreprise participative permettra de redonner un nouvel élan économique et social à notre pays et facilitera la création d'emplois.
Mais l'Etat et les communes auront aussi un rôle important à jouer.

CHAPITRE II

L'ENTREPRISE PARTICIPATIVE

« Après les rois, l'Église, la famille, puis l'État, l'entreprise est devenue la première institution de notre époque. Le moteur économique et social de la société[1]. »

Sumantra GHOSHAL
Professeur à la London Business School

« Il faut replacer l'entreprise au centre de la société française en favorisant la liberté d'entreprendre, les vocations d'entrepreneurs, leur réussite dans l'économie, en promouvant l'esprit d'entreprise et sa diffusion dans toutes les composantes de la société. »[2]

Mouvement des entreprises de France
(MEDEF)

« Ce sont les clients qui sont les locomotives de l'emploi »[3].

François MICHELIN

---

1. Interview au journal *L'Entreprise,* Juillet/Août 1999, p. 30.
2. *Le Monde,* 27 octobre 1998, *« Le parti de l'entreprise ou le CNPF sans complexes »* par Caroline Monnot.
3. Interview dans *le Journal du Dimanche,* 1er novembre 1998.

Taux de chômage standardisés des pays du G7

En % de la population active civile

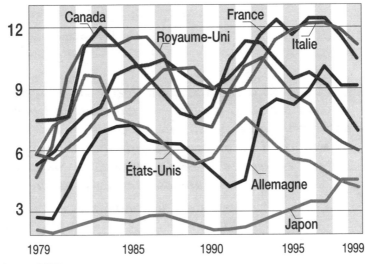

Source : OCDE

Le chômage a été le mieux combattu au Japon, aux Etats-Unis
et au Royaume-Uni, et le moins bien en France, en Italie et en Allemagne.

I – Comment lutter contre le chômage

Avec raison, le chômage est, actuellement, le problème économique et social le plus important et le souci de tous les gouvernements successifs.

Malgré les progrès récents, malgré le recul du nombre des demandeurs d'emploi, force est de constater que la France est l'un des pays les plus mal placés alors que les États-Unis, le Canada et la Grande-Bretagne ont réussi, depuis quelques années, à réduire leur taux de chômage. En février 2001 il était de 5,4 % de la population active pour la Grande-Bretagne; de 4,2 % pour les États-Unis, pendant qu'en France il reste encore proche de 9 %.

En huit ans, aux États-Unis, la politique économique libérale engagée par Ronald Reagan puis appliquée par George Bush et conduite par le président démocrate Bill Clinton a permis la création de 20 millions d'emplois nouveaux. A noter que l'embauche et les licenciements sont libres de toute contrainte et le chômage est à un niveau historiquement bas.

En France, de nombreuses contraintes administratives et fiscales démotivent les entrepreneurs et cela ne cesse de s'aggraver. Cette politique aussi bien appliquée par la Droite que par la Gauche trouve son origine dans une approche idéologique fondée sur des a priori qui traversent, depuis des siècles, l'ensemble de la société française : les richesses, le profit et le capital sont toujours les ennemis à abattre. Il faut partager les richesses sans se soucier de l'avenir. C'est le fameux « les riches peuvent payer » de Georges Marchais, et cela s'est traduit par l'impôt sanction sur « les grandes fortunes » que la droite n'a pas voulu supprimer depuis 1993 et qu'elle a même aggravé.

Il est choquant mais symptomatique que, jusqu'à présent, tous les gouvernements successifs de Gauche ou de Droite aient annoncé des politiques de lutte contre le chômage, toutes aussi inefficaces les unes que les autres, y compris celles concernant les 35 heures. Ils n'ont jamais manifesté un intérêt quelconque envers les entreprises, les entrepreneurs et les cadres dont dépend l'emploi. Toutes les politiques de lutte contre le chômage ont concerné les salariés mais jamais tous ceux qui les emploient.

Seule la création d'emplois « marchands » par les entreprises et non d'emplois administratifs par l'État fera reculer le chômage. Encore faut-il que les entreprises soient suffisamment motivées pour cela, ce qui n'est pas toujours le cas. Encore faut-il aussi que les chômeurs acceptent de travailler et soient compétents dans le travail qu'on leur offre, ce qui n'est pas toujours le cas car ils ne sont pas correctement formés.

Au lieu de libérer les entrepreneurs des contraintes administratives et fiscales excessives, au lieu de leur laisser l'initiative nécessaire, on continue à les enserrer dans des carcans aussi absurdes qu'inutiles.

Le gouvernement et les députés devraient savoir que rien, aucune loi, aucune contrainte, n'obligera les chefs d'entreprise à embaucher s'ils n'ont pas de travail à effectuer, si les charges sur salaires sont trop lourdes, si les impôts sont trop élevés.

Pour beaucoup d'hommes politiques, lutter contre le chômage, c'est considérer a priori l'entrepreneur comme « l'ennemi qui ne veut pas embaucher et qui veut licencier à tout prix ». Il faut donc tout faire pour l'empêcher de licencier. Et ils ont si bien réussi dans cette attitude que les chefs d'entreprises embauchent le moins possible pour avoir moins de problèmes lorsque la conjoncture se dégrade ! Beau résultat, à l'inverse du but recherché.

Aucun homme politique, sauf, il y a longtemps,

Antoine Pinay, ne s'est battu pour libérer l'entreprise de ses contraintes, bien au contraire. C'était le temps heureux où les prélèvements obligatoires s'élevaient... à 32 %[1] et où le Général de Gaulle était président de la République.

Aucune voix n'a proclamé cette vérité que jamais le chômage ne sera réduit de façon efficace sans création de nouveaux emplois dits marchands, c'est-à-dire non rémunérés par l'État. Au contraire, ce dernier n'a pas cessé d'embaucher des fonctionnaires. Les collectivités territoriales ont fait de même, à tel point qu'on leur interdit d'employer des contractuels non fonctionnaires. Cela a pour conséquence de réduire le nombre de demandeurs d'emploi au prix d'une augmentation des dépenses de l'État et des collectivités territoriales, et donc de nos impôts.

1) – Réduire les inégalités

Deux méthodes cherchent également à réduire les inégalités.

A) L'une consiste à ramener les revenus élevés au niveau le plus bas.

C'est la méthode égalitariste prônée par le socialisme et le communisme depuis le milieu du XIXe siècle. Mais, faire payer les riches, les appauvrit et n'augmente pas pour autant la richesse des

---

1. Ils sont actuellement à 46 %.

autres. Démotivés, ils cessent de travailler et certains s'en vont. Finalement, cela n'enrichit personne et ruine tout le monde.

Tant que les gouvernements continueront à appliquer une politique fondée sur :
• La multiplication des contraintes administratives, fiscales et syndicales ;
• Le développement des interventions de l'État dans tous les domaines, y compris dans la gestion des entreprises (35 heures) avec un effet paralysant pour l'économie ;
• La généralisation du laxisme, de l'assistanat et de l'irresponsabilité des entreprises nationales,
rien ne pourra être résolu.

L'accroissement des dépenses de l'État, dû à l'augmentation du nombre de fonctionnaires et aux déficits de la plupart des entreprises nationalisées est un frein insupportable à la croissance. Il faut que le gouvernement adopte une nouvelle politique de réduction des dépenses de l'État et diminue le nombre de fonctionnaires.

On peut se demander ce que seraient devenus de grands pays comme la Russie et la Chine s'ils n'avaient connu, depuis cinquante ans, des régimes communistes désastreux. Que serait l'Europe aujourd'hui face à une Russie et une Chine libérales ? Quand on connaît l'application au travail et l'intelligence des Asiatiques et quand on voit les succès économiques et industriels d'un petit pays comme Taiwan, il est certain que si la Chine avait bénéficié d'un régime libéral, elle serait certainement aujourd'hui une des premières puissances économiques du monde.

Dans une certaine mesure, les régimes communistes ont plutôt profité aux autres pays, mais à quel prix....

Heureusement, de nombreux pays ont compris leur erreur et l'économie « socialiste » est partout en régression. Les seuls pays à gouvernement socialiste ou travailliste qui ont réussi... sont ceux qui, comme la Grande-Bretagne, ont abandonné le socialisme et suivent la politique libérale mise en œuvre par Mme Thatcher ou encore l'Allemagne avec Schröder ! C'est le cas aussi en Espagne, aujourd'hui florissante, avec un premier ministre libéral, Aznar, qui a succédé au socialiste Gonzales.

D'ailleurs, maintenant, on ne sait plus très bien ce qu'est l'économie socialiste. Le grand mythe du socialisme qui depuis Léon Blum jusqu'à François Mitterrand en passant par Maurice Thorez croyait que tous les problèmes économiques seraient résolus par les **nationalisations** a sombré dans ses échecs. La plupart des références au marxisme et au collectivisme ont disparu. En Europe, depuis le milieu des années 90, les nouveaux gouvernements socialistes ont délibérément choisi d'appliquer, totalement ou partiellement, des méthodes... libérales et non sans succès !

Il n'y a qu'en France où nos gouvernements socialistes s'accrochent encore aux vieux mythes, même s'ils ont mis beaucoup d'eau dans leur vin, mais c'est parce qu'ils sont piégés par leur majorité plurielle.

Ah ! si seulement ils comprenaient que la future

majorité plurielle devrait être socialiste, RPR, UDF ! On verrait enfin un gouvernement qui n'aurait plus aucun complexe, ni de Gauche ni de Droite !

B) L'autre méthode doit permettre de relever les revenus les plus bas sans pour autant réduire les autres.

Plutôt que de niveler par le bas, il serait plus efficace de chercher à augmenter les revenus modestes sans réduire d'autant les autres car ainsi tout le monde s'enrichit.

L'accroissement des richesses globales est une nécessité absolue pour l'amélioration du niveau de vie et pour l'emploi. Si les richesses n'augmentent pas, elles disparaîtront. Elles ne coulent pas d'une corne d'abondance inépuisable qu'il est possible de verser indéfiniment ou de partager. Il faut les créer, les reconstituer et lutter sans cesse pour qu'elles se développent. Cela ne peut se faire que dans la liberté d'entreprendre et dans la baisse de la fiscalité.

C'est ainsi qu'il faut réhabiliter le profit dans l'esprit des salariés. Le profit est indispensable à la vie de l'entreprise. Sans profit, pas de création de richesses, pas de remboursement des emprunts donc pas d'investissement ni de préparation de l'avenir, pas d'intéressement pour le personnel ni de création d'emplois. Ce sont les entreprises qui font le plus de profits qui paient les salaires les plus élevés et qui créent le plus d'emplois. Il faut donc laisser les entreprises faire des profits et ne pas les leur confisquer par des impôts trop lourds et démotivants. Une première mesure serait donc de ramener le taux de l'impôt sur les sociétés à 30 % maximum, afin de l'aligner sur celui de nos principaux concurrents et de faciliter ainsi l'auto-financement.

Un pays s'enrichit non pas en répartissant les richesses existantes, comme les parts d'un gâteau qui ne s'accroîtrait jamais, mais en augmentant la taille du gâteau. Cela est aussi vrai pour les entreprises que pour les particuliers. Il en va de même pour les emplois.

Il ne faut plus laisser croire qu'il y a une poule aux œufs d'or, un trésor caché dans les entreprises, que le « méchant » patron ne veut pas distribuer et qu'il faut l'y obliger par des luttes sociales et par des grèves. Ces dernières ne font qu'affaiblir les entreprises et détruire des emplois.

Comme on le verra plus loin, la généralisation de l'intéressement aux bénéfices permet à tous les salariés d'une entreprise qui fait des profits de recevoir une part des bénéfices qui peut être importante.

Par exemple, en mettant à la disposition des salariés le tiers des résultats avant impôt, on peut arriver à distribuer plusieurs mois de salaire supplémentaires, comme je l'ai toujours fait à Dassault Aviation. Pour les années 1997, 1998, 1999 et 2000, la participation aux résultats a représenté près de deux mois et demi de salaire.

2) – La pression fiscale démotive les entrepreneurs et les investisseurs.

La politique fiscale a une importance fondamentale dans la vie d'un pays.

La politique fiscale ne doit pas uniquement être faite pour « réduire les inégalités » et faire supporter aux « riches » le poids des déficits budgétaires incontrôlés. L'impôt ne doit pas tuer l'activité économique et la motivation des hommes, sous prétexte de combler un déficit budgétaire exagéré. Cela relève de l'irresponsabilité.

L'impôt ne doit pas être une sanction pour celui qui réussit.

Une bonne politique fiscale doit permettre de subvenir aux besoins d'un État raisonnable. Elle ne doit surtout pas avoir comme conséquence la démotivation des contribuables et des investisseurs ce qui est le plus sûr moyen de réduire encore davantage les recettes fiscales.

Une bonne politique fiscale devrait avoir le souci constant de ne pas augmenter la fiscalité. Or, les gouvernements successifs ont toujours privilégié les dépenses sans se préoccuper des recettes toujours par souci démagogique et électoraliste. L'exemple le plus spectaculaire est la décision d'appliquer les 35 heures avec certaines incitations fiscales **avant** de savoir ce que cela coûtera et **comment** on financera ces dépenses nouvelles. En conséquence, aujourd'hui, on a un trou de 30 milliards non prévu et non financé. D'où notre déficit budgétaire qui ne se réduit pas malgré les différentes cagnottes qui sont distribuées aussi rapidement qu'elles ont été encaissées.

L'État devrait agir comme un particulier et ne pas dépenser plus d'argent qu'il n'en reçoit. Il faut fixer les dépenses en fonction des recettes et non pas fixer les recettes après avoir décidé les dépenses.

Dix ans de produit net de l'impôt sur les sociétés

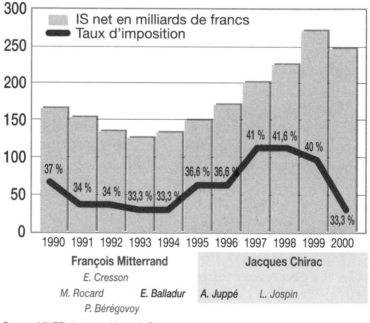

Source : MINEFI - Les notes bleues de Bercy

60

On constate que le taux de l'impôt sur les sociétés au cours des dix dernières années :
• a baissé de 37 % à 33,8 % sous des gouvernements de Gauche ;
• a augmenté de 33,8 % à 41,6 % sous des gouvernements de Droite ;
• est redescendu à 33,3 % avec Lionel Jospin.

Alors, qui a augmenté le taux de l'impôt sur les sociétés : la Gauche ou la Droite ?

En France, la pression fiscale sur les entreprises est devenue excessive. C'est un des principaux facteurs du manque d'autofinancement, c'est-à-dire de la capacité pour les entreprises d'investir sans emprunter, et de préparer l'avenir. L'impôt est devenu, de plus en plus, une punition pour l'entrepreneur qui réussit, et cela plus avec les gouvernements de Droite qu'avec ceux de Gauche.

A l'inverse, nos partenaires se sont engagés dans une politique de réduction. Le gouvernement socialiste de G. Schroeder en Allemagne, a décidé de limiter l'impôt sur les sociétés à 25 %.

3) – Les coûts de production sont trop élevés en France à cause des charges sur salaires trop importants.

La France est un des pays européens où le travail est le plus taxé.

Les salaires nets sont laminés par une cascade d'impôts. Les salariés et les entreprises supportent ainsi des dépenses qui n'ont rien à voir avec leur activité. C'est en grande partie de cette situation que viennent les difficultés d'embauche car, si un emploi coûte cher, ce n'est pas à cause du niveau des salaires mais à cause des charges qui y sont liées qui doublent pratiquement le salaire net pour l'entreprise et pour l'employeur.

En France, particulièrement, le salaire sert de paramètre pour collecter certains impôts. Depuis 1950, les gouvernements successifs ont trouvé commode de l'utiliser chaque fois qu'ils avaient besoin de ressources fiscales supplémentaires : allocations familiales, taxe d'apprentissage, sécurité sociale, taxe sur le logement, taxe sur les transports, etc. Ce système pénalise lourdement nos centres de production et est un des facteurs de notre perte de compétitivité par rapport aux producteurs internationaux. C'est ainsi que les entreprises ne devraient supporter que les charges qui concernent directement les salariés comme le chômage, la maladie, la retraite et non celles qui ne les concernent pas systématiquement comme les allocations familiales des uns, la santé des autres, la taxe d'apprentissage, etc.

La compétition internationale rend cette situation de plus en plus critique et cela apparemment n'émeut personne... et on a beau faire de grands discours sur la nécessité de construire l'Europe, les charges sur salaires sont les plus élevées en France. Et qu'est-ce que ce sera avec un nouvel élargissement à de nouveaux pays dont certains n'ont pratiquement pas de charges sur salaires ?
Nos entreprises seront ainsi de moins en moins compétitives, à moins que l'on harmonise l'ensemble des charges sur salaires pour tous les pays européens. Mais quand ?

Les charges patronales...
... pour un salaire brut de 120 000 F

En milliers de francs

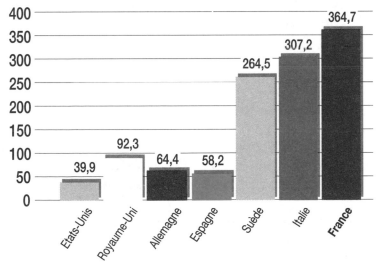

Les charges patronales...
... pour un salaire brut de 800 000 F

En milliers de francs

Source : Arthur Andersen

Poids des charges des entreprises dans le salaire brut.

Niveau de salaire mensuel	France	Allemagne	Royaume-Uni
6 664 F	34 %	33 %	7 %
12 000 F	52 %	29 %	10 %
25 000 F	51 %	28 %	10 %
40 000 F	50 %	21 %	10 %
100 000 F	47 %	13 %	10 %

Source : Sénat, Rapport général d'Alain Lambert, Tome I :
le budget de 1998 et son contexte économique et financier.

Pour des salariés touchant 12 000 F de salaire mensuel brut en Europe, on voit que les charges en France sont deux fois plus fortes qu'en Allemagne et cinq fois plus qu'en Grande-Bretagne ! Les salaires moyens supportent les charges les plus lourdes.

En effet, un salarié qui coûte à l'entreprise 30 000 F recevra 15 000 F en salaire brut dont il faut retrancher 20 % de cotisations salariales. Il recevra donc 12 000 F de salaire net, sur lequel il paiera 2 000 F d'impôt sur le revenu. Il lui restera au bout du compte 10 000 F pour un salaire global de 30 000 F payé par l'entreprise. Stupide, non !

En France, comment peut-on rester compétitif en ayant dès le départ les coûts de production les plus élevés ? L'entreprise paye trois fois plus que le revenu net après impôt des salariés. C'est absurde.

Autrement dit, les coûts salariaux sont devenus tels qu'ils doublent les salaires nets et les triplent après impôt sur le revenu. Pour qu'un salarié vive avec 10 000 francs net par mois, l'entreprise doit payer aujourd'hui 30 000 francs, qui rentrent dans son prix de revient, grèvent ses coûts de production, dissuadent l'embauche et démotivent le salarié.

En Grande-Bretagne, un cadre supérieur qui reçoit un salaire brut annuel équivalent à 1 500 000 francs ne coûte que 17,6 % de charges sociales en plus à son employeur au lieu de 47,6 % en France. On comprend pourquoi les cerveaux passent la Manche.

Nos charges sur salaires, beaucoup plus élevées que celles de nos concurrents, limitent le pouvoir d'achat de nos salariés, augmentent nos coûts, et réduisent nos ventes. Personne ne semble s'en rendre compte et seule la plus mauvaise des solutions est proposée pour favoriser l'embauche du personnel le moins qualifié : en faire prendre une partie en charge par l'État, c'est-à-dire par les contribuables. Il est inadmissible que les contribuables paient une partie des salaires du personnel des entreprises privées. Cela revient à une nouvelle nationalisation.

4) – Le travail manque de flexibilité.

En France, toutes les relations du travail sont rigidifiées dans un Code du Travail très contraignant qu'il faudrait modifier. De trop nombreux hommes politiques et syndicalistes croient encore que l'emploi est mieux protégé par la réglementation et cela continue.

En empêchant les chefs d'entreprises de gérer leur personnel comme ils l'entendent en fonction de leurs commandes, en imposant les 35 heures sans flexibilité, l'État paralyse notre outil de production, au moment où il pourrait, au contraire, tourner à plein.

L'erreur des gouvernements a toujours été de vouloir tout codifier et de dire : « *Il faut que tout le monde travaille 35 heures, il faut que tout le monde parte à la retraite à soixante ans, il faut que tout le monde fasse ceci, fasse cela...* ». Ce n'est pas possible.
Il y a des entreprises qui peuvent donner cinq semaines de congés, il y en a d'autres qui meurent parce qu'elles ne peuvent pas le supporter. Il y en a qui peuvent travailler 35 heures ou même moins sans dommage, il y en a d'autres qui sont obligées de travailler 45 heures et plus. Les horaires ne doivent pas être décrétés par le gouvernement mais choisis par le chef d'entreprise en fonction de sa charge et de ses besoins, le personnel étant payé en conséquence.

Il n'est même plus permis aux cadres de faire des heures supplémentaires ! Les salariés préfèrent pourtant, et de beaucoup, travailler plus et gagner plus que travailler moins.

Pour que l'entreprise se développe normalement, il faut laisser plus de souplesse, plus de liberté aux entrepreneurs dans le cadre de leur gestion, tout en faisant le maximum pour éviter le drame des licenciements. En un mot, il faut faire confiance aux chefs d'entreprise et les laisser gérer leur société au mieux des intérêts de tous, ce qu'aucun gouvernement ni de Droite ni de Gauche n'a eu jusqu'à présent le courage de faire.

> **Il ne sert à rien de répartir la pénurie, mieux vaut en supprimer les causes.**

C'est pour cela qu'il faudra absolument, en 2002, assouplir totalement la règle des 35 heures.

Si la durée légale du travail reste à 35 heures, il faudra autoriser les heures supplémentaires sans limite, et supprimer toute référence à des repos compensatoires qui alourdissent le système et augmentent les coûts.

Que l'on libère les entreprises de toute contrainte, qu'on les laisse travailler le dimanche, qu'on les laisse travailler moins de 35 heures, si elles le souhaitent. Qu'on les laisse travailler plus si elles en ont besoin. Que l'on ne comptabilise plus les heures annuelles.

La France est le pays où l'on travaille le moins, où le coût du travail est le plus élevé. Que l'on continue comme cela et bientôt il n'y aura plus d'entreprises en France. Déjà, les entreprises étrangères hésitent à venir s'installer et à investir en France à cause des 35 heures et de plus en plus d'industriels français délocalisent la production au Portugal, en Espagne, bientôt en Pologne, etc.

5) – Nos élites quittent le pays.

La France connaît un exode alarmant de ses élites de tous âges, de ses chercheurs et de ses jeunes diplômés, qui partent travailler ailleurs, découragés par les multiples obstacles qu'ils vont rencontrer sur leur route en France. De plus, ils savent qu'ils trouveront plus facilement à l'étranger des crédits d'investissement et une fiscalité moins lourde.

Aucune loi ne les empêchera de partir sauf si nous allégeons les nôtres.

Nos forces vives et nos investisseurs potentiels s'installent ainsi à l'étranger : les jeunes, parce qu'il y est plus facile de créer une entreprise et qu'ils y paient moins d'impôts, les chefs d'entreprise qui détiennent moins de 25 % d'une société, ou les chefs d'entreprise retraités qui sont donc redevables de l'ISF. Sans parler des droits de succession confiscatoires. Ils trouvent à l'étranger des conditions plus attirantes.
L'air fiscal y est meilleur...

Or, le départ des jeunes diplômés entraîne la perte progressive de toutes nos compétences technologiques et c'est la voie assurée, à terme, vers le sous-développement, l'industrie française étant ramenée à l'état de sous-traitant.
Si les investisseurs et créateurs d'entreprises font de même, les jeunes moins qualifiés auront de plus en plus de mal à trouver du travail. Les autres partiront.

II – Le libéralisme participatif, une nouvelle politique économique pour la France.

La liberté d'entreprendre est la liberté fonda-mentale de l'économie libérale participative. Il faut donc, avant tout, libérer notre économie de ses carcans car elle s'étiole sous les contraintes.

Il est nécessaire, avant d'exposer les solutions qui permettront de développer l'activité économique et de réduire durablement le chômage, de rappeler quelques règles de base concernant les entreprises soumises à la concurrence de la mondialisation.

1) – Respect des lois économiques, simples et immuables.

L'économie se joue des bonnes intentions. Elle n'obéit à aucune idéologie mais, tout comme la physique, elle obéit à des lois immuables. Il n'est possible d'échapper à la fatalité qu'en acceptant les lois économiques et en les respectant. Car, rien ne réussit en physique ou en économie si l'on n'obéit pas aux lois de la nature physique pour l'une ou de la nature humaine pour l'autre.

Les lois de l'économie sont simples. Il est bon d'en rappeler quelques-unes.

A) – Les hommes sont le moteur de l'économie et non l'État.

Les hommes sont le moteur de l'économie. Rien ne peut se faire sans eux. Rien ne se fera s'ils ne sont pas motivés :

• par leur travail et leur environnement ;
• par leur rémunération nette ;
• par leurs responsabilités ;
• par des contraintes administratives raisonnables ;
• par une fiscalité réduite.

B) – La politique économique doit prendre en compte les impératifs des entreprises.

Pour développer ses ventes, l'entreprise doit impérativement :

• Satisfaire les besoins de son marché et, donc, de ses **clients** ;
• **Maîtriser** en permanence ses **prix de revient** ;
• **Concevoir**, mettre au point et fabriquer des produits compétitifs en **prix** et en **qualité** ;
• Faire des **profits** pour assurer la vie et le développement de l'entreprise, constituer des réserves de sécurité et rémunérer le capital investi ;
• Faire **participer son personnel** aux **bénéfices**.

Ce dernier point est primordial car rien ne se fera sans une motivation préalable de tout le personnel.

• Les **partenaires** de l'entreprise : les **actionnaires**, les **salariés** et les **clients**.

La définition et l'explication de la finalité de l'entreprise sont des éléments clés car toute la politique économique en découle. Tout dépendra du choix qui sera fait pour favoriser l'un ou l'autre de ces trois partenaires : les actionnaires ou les salariés ou les clients. Suivant que l'un ou l'autre de ces partenaires sera privilégié, nous nous trouverons, de fait, dans des systèmes politiques différents.

> **Si les actionnaires sont favorisés** par des distributions de dividendes importants aux dépens des salariés et des clients, nous serons dans un régime **capitaliste du siècle** dernier. C'est un régime de conflit salaires/profit, un régime d'incompréhension, de mauvais climat social, d'absence de motivation, de grèves, de lutte des classes et, finalement, de disparition des entreprises par désaffection des clients et démotivation du personnel.

> **Si les salariés sont favorisés**, aux dépens des actionnaires et des clients, nous serons dans un **régime socialiste**.

Les coûts de production augmenteront. Les horaires seront réduits sans souci des coûts de production et de la qualité des produits. Les capacités d'autofinancement et de profit diminueront. Les entreprises ne trouveront plus de clients, leurs produits n'étant plus compétitifs. Elles seront condamnées à faire des pertes et cesseront leur activité. Dès lors, la croissance s'arrêtera, la récession se généralisera, la perte de pouvoir d'achat s'installera et le chômage se développera.

La faillite des régimes communistes et socialistes où les salariés ont la priorité démontre les résultats néfastes de ce choix de l'État Patron et de la lutte des classes.

Si l'entreprise choisit de satisfaire ses clients, il sera nécessaire qu'elle contente en même temps ses actionnaires et ses salariés. Nous entrerons en **régime libéral participatif**, tous les acteurs de l'entreprise étant intéressés à son succès. Il n'y aura plus de conflits mais la volonté de défendre l'intérêt commun des salariés et de l'entreprise. Il n'y a plus de lutte des classes.

En effet, pour satisfaire les clients, il faut fabriquer des produits de qualité à des prix compétitifs. Il faut, pour cela, que le personnel soit motivé et l'entreprise rentable. La rentabilité bénéficierait à tous et ne serait plus rejetée. Cela inspire une réduction des dépenses de fonctionnement et une augmentation des profits. Cela per-

mettra de rémunérer les actionnaires par des divi-
dendes et les salariés par un intéressement et
d'assurer un autofinancement nécessaire aux
futurs investissements.

Les salariés devront être informés, considérés et
responsabilisés. Les motifs de grève disparaîtront,
la croissance sera constante et les emplois mainte-
nus sinon augmentés.

La relation étroite qui existe entre le régime
économique et le régime politique apparaît donc
clairement. L'un ne va pas sans l'autre. Finalement,
le seul régime qui permette la croissance en satis-
faisant tous les partenaires de l'entreprise, *c'est le
régime libéral participatif* que nous proposons.

Une entreprise ne se nourrit pas de littérature
ou de discours politiques préparés par des tech-
nocrates. Une entreprise se nourrit de résultats,
c'est-à-dire de profits réalisés grâce à ses clients
satisfaits par les produits qu'ils achètent. Sa finalité est totalement liée au marché.

Sans clients, pas de chiffre d'affaires, pas
d'emploi, pas de rémunération pour les salariés,
pas de dividende pour les actionnaires.

C'est pourquoi, un des éléments du système
libéral participatif est la recherche en priorité de
la **satisfaction des clients**.

• « Le client est roi ».

> **Ce ne sont ni les entrepreneurs, ni les actionnaires, ni les salariés qui dirigent les entreprises. Ce sont les clients.**
> Ainsi toute décision politique d'ordre fiscal, réglementaire, administrative qui obligerait l'entreprise à augmenter ses coûts serait néfaste à la satisfaction des clients et à sa survie. C'est la mondialisation qui inspire cette vérité avec l'ouverture de toutes les frontières.

Avec l'impératif de la rentabilité, notre société voit **la victoire du consommateur sur le producteur**. Toute décision propre à faire perdre des clients ou à faire perdre un marché est suicidaire.

Lorsqu'une entreprise ne vend plus ses produits, elle parle de crise. Or, il n'y a de « crise » que lorsque les clients ne veulent ou ne peuvent plus acheter. En réalité, le plus souvent, lorsqu'un produit ne se vend plus, c'est parce qu'il n'est plus adapté aux besoins des clients et que la concurrence mondiale produit mieux et moins cher. L'entreprise doit donc être en progrès permanent et ne jamais s'endormir sur ses succès qui risquent de ne pas durer longtemps.

Seule la satisfaction des clients permet la croissance, donc les embauches. Ne pas le comprendre, c'est précipiter l'entreprise vers le déclin et aggraver le chômage.

Ce que l'on appelle aujourd'hui la nouvelle économie rattachée au Net prend directement en compte la notion de « client », qui trouve rapidement le produit qui lui convient dans le monde entier.

• Il faut nous adapter à la mondialisation des échanges.

Le temps n'est plus où l'Europe industrielle dominait le monde et vendait des produits qu'elle seule savait fabriquer, aux prix qu'elle voulait.

La mondialisation des échanges aboutit à une réelle guerre économique entre tous les pays producteurs. La libéralisation des échanges et la constitution progressive d'un marché de production mondiale consacrent le règne de la compétition industrielle internationale. A la libre circulation des marchandises s'ajoute celle des capitaux. Les droits de douane disparaissent, les frontières s'ouvrent, les usines se multiplient, le commerce international s'accroît. De nouveaux producteurs, issus de l'Asie, de l'Amérique latine, de l'Afrique ou de l'ancien Empire soviétique font leur apparition, travaillant avec des coûts de production inférieurs aux nôtres, grâce à leurs salaires et leurs charges moins élevés.

La mondialisation met ainsi en concurrence les économies et les produits de l'ensemble de la planète. Il est aussi stupide de dire non à la mondialisation que de dire non à la pesanteur. Certains industriels transfèrent leurs usines pour produire là où la main-d'œuvre est la moins onéreuse, où l'accès aux matières premières est le plus facile, où la fiscalité est la moins chère et cela existe au sein même de l'Europe.

La concurrence mondiale est, de plus, accélérée et amplifiée par l'explosion des nouvelles technologies notamment dans le domaine de l'information, surtout dans le cadre d'Internet.

Dominique Strauss-Kahn a ainsi pu déclarer : « *Je sais qu'aux États-Unis ces technologies expliquent un tiers de la croissance et de l'investissement de ces dernières années ; que si les Européens s'imaginent encore un avenir, ils ne peuvent rester à l'écart de cette transformation ; et que la gauche doit faire le choix historique de cette entreprise*[1]. »

La mondialisation avantage le pays le plus performant, le plus productif, le plus apte à s'adapter rapidement avec les coûts de production les moins élevés. Une économie à forte productivité se met en place.

En ce début de XXIe siècle, la nature de l'emploi change rapidement. Le personnel non qualifié a de plus en plus de difficultés à trouver un emploi car les robots remplacent les ouvriers pour des manipulations répétitives. Cependant, si des métiers existent toujours dans l'artisanat où les

---

1. Interview de Dominique Strauss-Kahn, ministre de l'Économie, des Finances et de l'Industrie, *Libération*, 26 août 1999.

emplois vacants sont nombreux, d'autres se développent dans l'informatique, les nouvelles technologies de l'information, les services, etc. La notion d'emploi à vie est une illusion sauf pour les fonctionnaires. L'individu devra, de plus en plus, pratiquer plusieurs activités professionnelles durant sa vie active et suivre plusieurs formations.

C'est pourquoi toute politique économique devra être accompagnée d'une révision complète de notre système de formation professionnelle, notamment par la mise en place d'une politique efficace de formation continue.

2) – L'efficacité économique passe par l'efficacité des entreprises.

L'entreprise est une entité fragile et il y a des décisions qui la tuent. Comme une bicyclette, elle ne tient en équilibre que si elle roule et elle ne peut rouler que si les hommes, motivés, travaillent. Il est très facile de l'arrêter et de la faire tomber. En fait, l'entreprise vit de compromis et il n'y n'existe aucun trésor caché. Comme dans la fable de La Fontaine « Le laboureur et ses enfants », **le seul trésor qui existe, c'est le travail.**

A) – Pour relancer la motivation des entrepreneurs, il faut alléger la fiscalité. En particulier, supprimer les impôts sur la fortune et sur les successions.

Nous l'avons vu, le niveau des prélèvements obligatoires et la nature même de notre système fiscal découragent et paralysent l'initiative privée. La baisse nécessaire des dépenses publiques implique des choix difficiles mais nécessaires.

La fiscalité ne doit pas provoquer d'effets pervers sur les comportements des agents économiques. De nombreuses petites entreprises, ayant bénéficié pour leur première année d'un report des taxes locales et de franchises dues à leur installation, se sont créées. Elles ont embauché, ont démarré leur activité mais elles ont périclité l'année suivante, rattrapées par la réalité fiscale.

L'impôt ne doit pas être une sanction pour celui qui réussit, en lui confisquant la plus grande part de ce qu'il gagne, mais une participation raisonnable aux dépenses nationales. Il en est ainsi dans les pays anglo-saxons, où la réussite y est estimée et recherchée, et non comme chez nous, où elle est mal vue, voire suspecte.

Pour redresser la situation, et rendre leur motivation aux chefs d'entreprise et aux cadres, il faudrait, d'un coup et sans complexes, **supprimer l'impôt sur la fortune (ISF) et l'impôt sur les successions**[2], d'ailleurs communs à de plus en plus de contribuables.

---

2. L'impôt sur la fortune dépasse largement les revenus, ce qui détruit le patrimoine; aucun gouvernement de Droite n'a osé le ramener l'impôt sur les successions à 20 %, niveau de 1980, et encore moins le supprimer.

Le réflexe de beaucoup d'hommes politiques est de vouloir maintenir l'ISF, en faisant remarquer que cela ne touche que peu de contribuables et que sa suppression serait impopulaire. On retombe dans le complexe de la droite qui a toujours peur de proposer une bonne politique en craignant de ne pas être élue ou réélue. En fait, certains hommes politiques de droite sacrifient leurs électeurs à leur propre élection. Ils préfèrent continuer à vouloir imposer un impôt sur la fortune et un impôt sur les successions pour les riches pour espérer être élus par les électeurs de gauche. Quelle erreur!

Quant aux hommes politiques de gauche, ils ne se privent pas de répéter qu'ils ont exonéré les plus bas revenus aux dépens des autres. Tout cela c'est de l'électoralisme qui conduit notre économie au déclin. Continuer à vouloir trop imposer ceux qui produisent de la richesse ne peut conduire qu'à leur démotivation.

La relance de l'économie entraînée par la baisse des charges et des taxes, la libération des initiatives et la motivation des hommes compenserait largement les pertes de recettes pour l'État des deux impôts supprimés (l'ISF et les successions) dont le produit a tout juste dépassé 55 milliards de francs en 1999 soit 2,8 % des recettes globales.

Pourquoi l'impôt sur les successions doit-il disparaître?

La création d'une entreprise est une opération difficile qui se réalise parfois en une génération, mais plus souvent en deux, trois ou quatre générations. Chacune pouvant profiter du travail de la précédente pour aller plus loin, à condition, toutefois, de ne pas être spoliée à chaque étape. Si l'État remet le compteur à zéro à chaque génération par un impôt sur les successions trop lourd, il supprime les possibilités de tremplin que présente le travail des générations précédentes. Parfois même cela annule totalement les efforts accomplis.

Or, l'État a plutôt intérêt à voir une entreprise homogène continuer à se développer avec les héritiers que de provoquer son morcellement, ou même sa disparition sous prétexte de réduire les inégalités. Une nation s'enrichit grâce au dynamisme des entrepreneurs et de leurs entreprises mais s'ils savent que leurs efforts ne seront pas repris par leurs enfants, ils se « fatiguent » moins, d'où perte de croissance.

Au Royaume-Uni, un système de transmission anticipé permet d'exonérer totalement les donations réalisées au moins sept ans avant le décès du donateur alors qu'en France, depuis 1982, le taux de 40 % entre héritiers directs s'applique au-delà de 11,2 millions de francs. Mais c'est déjà à partir de 500 000 F que les héritiers doivent payer et souvent ils ne savent pas comment !

L'impôt sur les successions touche de nombreux Françaises et Français. Qui ne reçoit pas de ses parents une maison, un terrain, des bijoux de famille, quelques actions ? Comment payer l'impôt sur les successions quand on ne possède aucune liquidité? Il faut casser la tirelire et vendre ce que l'on reçoit, et ce n'est pas toujours suffisant.

La rétroactivité fiscale doit être interdite.

Cette pratique doit être déclarée inconstitutionnelle car c'est un facteur de déstabilisation sociale. Les règles du jeu ne doivent pas être sans cesse remises en cause au rythme des élections. Il faut supprimer cette menace en garantissant le fait que toute fiscalité nouvelle n'est applicable qu'à l'entrée en vigueur de la loi l'instituant et non avant. Les entreprises, comme les ménages, doivent pourvoir investir, consommer, faire des projets sans se demander à chaque instant si les règles du jeu ne vont pas changer soudainement et rétroactivement.

B) – Pour réduire les charges sur salaires, il faut instaurer une Taxe sur l'Activité.

Les charges sur salaires, on l'a vu, sont beaucoup trop élevées. Elles concernent les charges pour l'entreprise avant qu'elle ne paie le salaire brut qui à son tour sera amputé pour donner le salaire net.

Salaire brut ou salaire net, c'est toujours l'entreprise qui paie avant que le salarié « ne reçoive » enfin le fruit de son travail après avoir payé ses propres charges.

En réalité, il faudrait que l'entreprise paie uniquement ce qui concerne le salarié et supprime cette hypocrisie de salaire brut.

L'entreprise ne devrait payer pour le salarié que ce qui concerne sa retraite et le chômage. Le reste, c'est-à-dire, les allocations familiales, la santé, la taxe d'apprentissage, le transport, le logement, etc. devraient être calculés et payés suivant un autre critère.

Je propose comme base de l'assiette le « chiffre d'affaires moins les salaires » que j'appelle « l'activité ». Ce critère ne défavoriserait pas les entreprises de main-d'œuvre comme c'est le cas aujourd'hui, mais celles qui font un chiffre d'affaires élevé avec une main-d'œuvre réduite. Cette perspective favoriserait l'embauche, puisque plus une entreprise aura du personnel, moins elle paiera de charges à chiffre d'affaires constant. Elle s'inscrit dans une politique générale de lutte contre le chômage.

Une taxation de 3,5 % de ce que j'appelle « l'activité » compenserait globalement, à égalité de recette, ce qui ne serait plus payé sur le salaire. Petite révolution mais ô combien nécessaire.

Le bulletin de salaire net s'établirait alors comme suit :

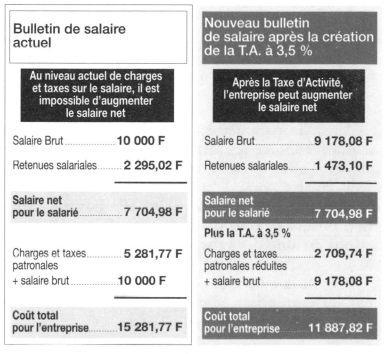

Bulletin de salaire actuel	Nouveau bulletin de salaire après la création de la T.A. à 3,5 %
Au niveau actuel de charges et taxes sur le salaire, il est impossible d'augmenter le salaire net	**Après la Taxe d'Activité, l'entreprise peut augmenter le salaire net**
Salaire Brut.............**10 000 F**	Salaire Brut.............**9 178,08 F**
Retenues salariales.........**2 295,02 F**	Retenues salariales.........**1 473,10 F**
Salaire net pour le salarié............**7 704,98 F**	**Salaire net pour le salarié**............**7 704,98 F**
	Plus la T.A. à 3,5 %
Charges et taxes...........**5 281,77 F** patronales + salaire brut................**10 000 F**	Charges et taxes.............**2 709,74 F** patronales réduites + salaire brut..............**9 178,08 F**
Coût total pour l'entreprise..........**15 281,77 F**	**Coût total pour l'entreprise**.........**11 887,82 F**

Comparaison des deux bulletins de salaire
à salaire net égal pour le salarié.

Une mauvaise solution constituerait à prendre comme paramètre, la valeur ajoutée, car cela reviendrait à taxer une nouvelle fois les salaires. En effet, la valeur ajoutée représente le chiffre d'affaires moins les achats, elle comporte donc les salaires. Cela pénaliserait les entreprises de main d'œuvre. Les importations seraient favorisées.

Le chiffre d'affaires est une meilleure base pour la collecte d'impôts que le salaire car il ne charge pas l'outil de production, mais le résultat, c'est-à-dire les ventes. L'entreprise n'en supporte pas les conséquences dès l'embauche et avant le résultat de ses ventes. Ce qui n'est pas le cas aujourd'hui de l'employeur qui paie les charges de son personnel à plein, avant qu'il ne produise.

Ainsi, le paramètre optimal serait « le chiffre d'affaires moins les salaires versés ». En taxant le chiffre d'affaires moins la masse salariale, l'emploi sera favorisé car, à chiffre d'affaires égal, plus l'entreprise embauchera moins elle payera, situation inverse de celle que l'on connaît actuellement et qui est une des raisons du chômage.

Près de la moitié des charges sur salaires, payées par les entreprises et par les salariés, serait ainsi transférée sur le chiffre d'affaires.

Selon cette proposition, un salaire net de 7 700 francs coûtera 11 900 francs avec les charges proposées au lieu de 15 000 francs actuellement.
Ainsi :

	Salaire net	Salaire brut	Charges patronales	Coût total entreprise
d'un côté :	7 700 + 2 300 =	10 000	+ 5 000	= 15 000
de l'autre :	7 700 + 1 500 =	9 200	+ 2 700	= 11 900

Pour un même revenu de 7 700 francs pour le salarié, le gain pour l'entreprise est de 3 100 francs, les charges passent de 50 % à 35 %. Dans le premier cas, l'entreprise paie 100 % de plus du salaire net, dans le second, 60 %. L'écart est considérable.

Cela permet à la fois d'embaucher plus facilement et d'augmenter plus rapidement les salaires. En effet dans cet exemple, pour une dépense identique de l'entreprise de 15 281 francs, le salarié toucherait 10 500 francs au lieu de 7 700 ; cela augmenterait le revenu et le pouvoir d'achat des salariés sans alourdir les charges de l'entreprise.

Une taxe globale de « 3,5 % sur tous les chiffres d'affaires moins les salaires » permettrait dc compenser les 400 milliards qui ne seraient, ainsi, plus prélevés sur les salaires. Cette mesure favoriserait les entreprises de main d'œuvre et donc l'emploi.

> Cette proposition générerait de l'emploi, réduirait les coûts de production, faciliterait les embauches et l'augmentation des rémunérations, relancerait l'économie et ne coûterait rien à l'État.

Après une étude approfondie avec Gérard Quéveau, président de la société Heuliez, *notre proposition se présente de la manière suivante* :

Les cotisations concernant uniquement le salarié, c'est-à-dire le chômage, la retraite et les accidents du travail, seront prélevées en une seule fois sur le bulletin de salaire par l'entreprise. Son salaire brut deviendra son salaire net.

Le reste — cotisations sécurité sociale, allocations familiales, formation, taxe d'apprentissage, logement etc. — sera prélevé par une taxe dite « sur l'activité », calculée en fonction du « chiffre d'affaires moins les salaires » avec un taux de 3,5 %. Les charges sur salaires seront ainsi diminuées de 40 % et, sans pertes de recettes pour l'État.

Il serait en effet antiéconomique de remplacer les charges des entreprises par un impôt. Ce n'est pas à l'État de payer ces charges. Toutes les mesures prises actuellement, qui réduisent les charges pour les bas salaires en les faisant payer par l'État ou qui favorisent les « emplois jeunes » en en faisant payer une

A – Chiffre d'affaires des entreprises françaises dans le produit national brut (PNB)	20 000 milliards de francs
B – Salaires payés	3 000 milliards de francs
C – Charges sur salaires payées aujourd'hui	800 milliards de francs
(A – B) =	17 000 milliards de francs
3,5 % de (A – B)	600 milliards de francs

Charges actuelles sur les salaires	Proposition Dassault-Quéveau avec Taxe d'Activité à 3,5 %
en milliards de francs	en milliards de francs
Charges sociales employeurs actuelles.................800	Charges sociales employeurs réduites...............400 Chômage-Retraite-Accidents du travail Assurances complémentaires
Taxes diverses (dont % Logement, transport ...).................200	Taxe d'Activité à 3,5 %...............600 pour Sécurité sociale, Allocations familiales, Formation, Taxe Apprentissage, % Logement, Transport
Total Employeurs.................1 000	Total Employeurs.................1 000
Charges sociales payées par les employés...........500	Charges sociales payées 350 par les employés.................à 400 *
	*Possibilité d'augmentation du salaire net

partie par les associations et les collectivités, pèsent lourdement sur le budget et, par voie de conséquence, sur le déficit budgétaire. Avec notre proposition, toutes les charges sur salaires sont allégées, même celles des fonctionnaires, sans aucune charge nouvelle pour l'État.

Les charges dépendront automatiquement du chiffre d'affaires de l'entreprise. Si le chiffre d'affaires baisse sans réduire le personnel, les entreprises paieront moins alors qu'actuellement elles payent autant, et l'emploi pourra être maintenu. Si le chiffre d'affaires augmente, elles paieront plus sauf si elles embauchent.

> Ainsi, avec ce système, contrairement à la situation actuelle où « plus l'entreprise a d'employés, plus elle paie », il sera possible de parvenir à « plus l'entreprise a d'employés, moins elle paie ».

Il est vrai que cela aboutit à un véritable transfert des charges des entreprises qui utilisent beaucoup de main-d'œuvre, vers les entreprises qui font un gros chiffre d'affaires avec une main-d'œuvre réduite. Mais il faut savoir ce que l'on veut. C'est une des seules façons d'alléger le coût de l'emploi et d'augmenter le pouvoir d'achat. Même si certaines entreprises doivent augmenter leurs charges sur leur chiffre d'affaires, cela aura beaucoup moins d'inconvénients que de conserver le système actuel.

D'aucuns critiqueront cette proposition en lui reprochant de prendre pour paramètre le chiffre d'affaires et non la valeur ajoutée, donc de compter plusieurs fois le même chiffre d'affaires dans les fournitures d'un produit et d'augmenter tous les prix de 3,5 % en cascade. C'est vrai.

Mais si c'est la valeur ajoutée qui est choisie, les salaires continueront d'être taxés puisque la valeur ajoutée, c'est le chiffre d'affaires moins les achats, et l'emploi ne sera pas favorisé.

C) Revenir à la flexibilite du travail

• Il faut assouplir les règles sur l'emploi temporaire ou à durée déterminée et développer l'embauche pour une mission donnée.

Quand une entreprise embauche, c'est pour effectuer un travail spécifique, dans un *objectif* précis. Si le travail est renouvelé par de nouvelles commandes ou si la quantité de travail augmente, tout va bien, elle peut garder ses employés.

Mais, si les commandes se réduisent ou s'arrêtent momentanément, elle ne peut garder du personnel à ne rien faire. Par contre, si l'entreprise retrouve des commandes, elle continuera à employer le salarié autant qu'elle le pourra.

Les contraintes sur les emplois temporaires ou « à durée déterminée » devraient être supprimées pour que ceux-ci puissent se généraliser. N'est-il pas préférable d'effectuer un travail temporaire que de rester au chômage et de n'avoir rien à faire ? Il ne s'agit pas pour autant de généraliser l'emploi précaire qui coûte d'ailleurs plus cher à l'entreprise. Encore un exemple où le législateur a voulu protéger les salariés contre l'intérêt de l'entreprise.

Mais en voulant trop les protéger, il leur nuit car les conditions mises à l'embauche sont telles que beaucoup d'entreprises qui pourraient augmenter leurs effectifs ne le font pas. C'est pour cela que le travail pour une mission bien définie est préférable à tout travail à durée déterminée.

Il faut également faciliter le travail à mi-temps qui peut convenir à beaucoup de salariés, en particulier aux femmes.

• Il faut autoriser les diminutions de salaires temporaires.

Une entreprise qui voit ses recettes diminuer doit réduire ses dépenses globales. Elle peut le faire soit en réduisant ses effectifs, soit en les gardant mais en diminuant les horaires et les salaires.

Il est, en effet, préférable de réduire les horaires et les salaires plutôt que de licencier.

Les salariés, après concertation, devraient pouvoir accepter une diminution de leurs horaires et de leurs rémunérations pendant un certain temps pour que l'ensemble du personnel conserve son emploi en attendant une meilleure conjoncture. Cette solution repose sur la solidarité. Elle ne peut venir que d'une décision collective, discutée et acceptée par la majorité du personnel et non d'une décision unilatérale du Gouvernement. Elle a déjà été appliquée avec succès dans certaines entreprises aux États-Unis. Il faut qu'elle devienne légale en France.

D) – La création d'emploi passe obligatoirement par la création et la croissance d'entreprises nouvelles.

Pour relancer l'économie et diminuer le chômage, il est avant tout nécessaire d'aider à la création de nouvelles entreprises et, surtout, de faciliter l'implantation d'entreprises de technologies nouvelles.

• Aide financière à la création d'entreprise.

Pour créer durablement des emplois, il faut donner, notamment aux chômeurs, la possibilité de créer leur propre entreprise en les aidant à se financer au démarrage et en leur fournissant les moyens logistiques nécessaires.

Le chômeur créateur d'entreprise devrait continuer à percevoir ses allocations pendant deux ans pour ne pas charger son exploitation. Au cas où il échouerait dans sa tentative, il devrait pouvoir systématiquement, de nouveau, toucher ses allocations.

Il faut également redéfinir un statut des chefs

d'entreprise et artisans, afin qu'ils puissent bénéficier de la même protection sociale que les cadres, ce qui n'est pas le cas aujourd'hui.

• *Le problème des banques.*

Mais, quand on a des idées et pas d'argent, il faut pouvoir trouver des capitaux. C'est ce qui se fait aux États-Unis par l'intermédiaire de banques spécialisées. C'est plus difficile en France où les banquiers ne prêtent que s'ils ont de très fortes garanties. Sans garanties, pas de prêt !

Malheureusement, la législation actuelle rend les banques ou leurs agences locales responsables de la faillite des entreprises qu'elles ont financées en les accusant de « financement abusif ». C'est pourquoi elles suspendent leurs paiements au moindre découvert par crainte de se retrouver dans ce cas de figure. Il faut absolument supprimer ce dispositif déplorable.

Les entreprises soumises à l'arbitraire de leur banque — dans le cas où une banque décide d'arrêter brutalement ses paiements — **devraient pouvoir bénéficier d'un recours en arbitrage** ce qui n'est pas le cas aujourd'hui. De même, dans le cas de redressements fiscaux conduisant à l'impossibilité de paiement.

• *La « caisse nationale pour le financement d'entreprises nouvelles ».*

La création d'entreprises nouvelles et les apports de capitaux nécessaires peuvent être favorisés par des emprunts garantis par une « caisse nationale de financement ». L'État, en garantissant auprès des banques le financement d'entreprises nouvelles, pourrait créer des milliers d'emplois privés sans autre risque que de financer les échecs. Ce financement de départ, remboursable en cas de succès, aurait un impact considérable sur l'emploi.

La « caisse nationale pour le financement d'entreprises nouvelles » devrait garantir :
• Des crédits pour les créations d'entreprises, remboursables sur le chiffre d'affaires au bout de trois ans;
• Des crédits pour lancer des produits nouveaux, remboursés sur les ventes de ces produits sans limitation;
• Des crédits spéciaux de trésorerie pour les entreprises en difficulté passagère. Ils leur permettraient de passer un cap difficile souvent dû au défaut de paiement de leurs clients.

Ces entreprises **nouvelles devraient être dispensées d'impôts et de charges sociales pendant trois ans et disposer d'un crédit de trésorerie adapté** à leur action. Leur seule contrainte serait de laisser l'argent ainsi économisé dans l'entreprise et de ne pas le distribuer aux actionnaires avant cinq ans. Par contre, un intéressement aux bénéfices pourrait être institué pour les salariés.

• _Relever les seuils sociaux des PME/PMI._

Le succès des pépinières d'entreprises est une première étape qu'il faut encourager. Un certain nombre de mesures, faciles à prendre, favoriseraient ainsi grandement le développement des PME.

Pour les artisans et les PME, il faudrait rehausser les seuils sociaux des artisans de 10 à 20 employés et des PME de 50 à 100 employés. La barre sociale de ces seuils relevée, des milliers d'embauches pourraient avoir lieu immédiatement. Cette disposition, dont il a été beaucoup question, semble oubliée. C'est un tort car elle serait facile à appliquer et psychologiquement très significative.

En outre, il faudrait modifier plusieurs textes :

• La loi sur les sociétés à responsabilité limitée (SARL) pour permettre au gérant majoritaire d'être, à la fois, salarié et patron, de disposer d'une protection en cas de faillite et, à condition de cotiser, de bénéficier d'une retraite, ce qui n'est pas le cas actuellement. Un artisan ou un patron de PME qui est obligé de cesser son activité peut se retrouver à la rue du jour au lendemain avec la seule protection de la nouvelle Couverture maladie universelle (CMU).
• La responsabilité financière des dirigeants sur leurs biens personnels devrait être supprimée sauf s'il y a malversation prouvée par des magistrats.

• *Favoriser les investissements des PME pour les produits nouveaux*

Sans moyens financiers pour réaliser des investissements, il n'y a pas de possibilité d'étudier des produits nouveaux, de moderniser les moyens de production, de s'adapter au marché. Il faut donc tout faire pour les faciliter.

Il est possible d'y parvenir en favorisant :

- L'autofinancement, car c'est le meilleur des financements. Réalisé par l'entreprise, il évite de faire appel à des capitaux extérieurs. La réduction des impôts sur les bénéfices et les amortissements accélérés pour certains investissements seraient favorables à l'autofinancement ;
- Le financement spécifique de produits nouveaux par des banques, remboursable en fonction des ventes serait très utile. De nombreuses entreprises renoncent à développer des produits nouveaux par manque de financement et parce qu'elles ne veulent pas s'endetter. Elles sont, à terme, menacées de disparition.

Le financement des PME pourrait aussi être facilité par des investisseurs privés qui bénéficieraient d'avantages fiscaux. Par exemple, toute somme investie dans une PME serait totalement défiscalisée.

E) – Il faut aider les entreprises à être offensives à l'exportation.

L'exportation est devenue dans le monde d'aujourd'hui une nouvelle forme de conquête, une nécessité absolue. Elle est vitale pour la survie de la plupart de nos entreprises car le marché national est trop restreint et les marchés sont de plus en plus mondiaux. N'oublions pas non plus que nos exportations sont indispensables pour couvrir nos importations, sous peine de déséquilibrer nos finances publiques et donc d'entraîner une grave crise économique.

Les exportations peuvent être facilitées par l'application de tout un train de mesures :

- Une aide à la prospection avec présence à des expositions par des avances remboursables accordées par le ministère des Finances ;
- Des conditions de crédit aux clients étrangers égales à celles qu'offrent nos concurrents, en durée et en taux d'intérêt ;
- Des crédits spéciaux pour les implantations d'entreprises françaises à l'étranger.

Notre marché ne se situe plus en France, ni même en Europe mais dans le monde entier. Il faut mettre en place des structures par département qui facilitent la promotion des produits français en participant à des missions de prospections et des expertises, en proposant des crédits spéciaux, en fournissant des informations sur la concurrence, sur les besoins de chaque pays, sur les intermédiaires à contacter, sur l'aide à obtenir par les grands groupes, dans le cadre du partage, etc. Toutes ces mesures devraient être coordonnées et financées par une administration spéciale semblable à la « Small Business Administration » américaine qui soutient avec une remarquable efficacité les PME américaines. N'oublions pas notre grave handicap dû à nos coûts de production trop élevés comme on l'a vu précédemment.

F) – Il faut adapter notre système éducatif aux besoins de notre économie et des entreprises.

Notre système éducatif n'est plus adapté aux nécessités de la mondialisation.

Est-il tolérable qu'il y ait, en France, environ 10 % d'illettrés ? Est-il normal qu'une majorité de nos jeunes et de nos étudiants ne possèdent toujours pas correctement au moins une langue étrangère ?

L'avenir de notre économie et de notre industrie dépend de la compétence commerciale, financière, technique, technologique, scientifique de nos enfants. Il nous appartient de bien les préparer à leur avenir. Il en va aussi de l'avenir de la France.

Il faut adapter notre système éducatif, notre système de formation, l'orientation professionnelle de nos jeunes à la nouvelle donne mondiale.

96

Mais, chacun sait les difficultés qu'ont eu tous nos ministres de l'Éducation Nationale à réaliser la moindre réforme de l'enseignement...

Il faut former les jeunes à des métiers et non à des diplômes.

Les jeunes doivent être orientés vers des métiers. Les besoins en ingénieurs, en techniciens, en informaticiens, en commerciaux, en financiers doivent être programmés en coordination et en concertation avec les organisations profession-nelles et le MEDEF. L'adaptation du produit au client commence par une formation adaptée aux besoins de l'économie.

Nous souffrons :
• D'une formation égalitariste, mélangeant les niveaux d'aptitude, qui empêche les plus doués de s'épanouir et les moins doués de s'en sortir ; encore un cadeau idéologique ! La suppression des notes, le non redoublement, la suppression des prix de fin d'année et surtout l'obligation scolaire jusqu'à seize ans ont eu un effet cata-strophique sur la formation de nos enfants. Il faut supprimer **le principe du collège unique**.
Nous souffrons :
• D'une formation de base insuffisante, négli-geant l'orthographe, les connaissances élémen-taires, les langues étrangères ;

- D'une formation universitaire insuffisante conduisant nombre de nos meilleurs éléments à aller se former aux États-Unis et, très souvent, à y rester;
- D'un système trop coûteux pour l'État — premier budget de notre économie — par rapport à son efficacité;
- D'un développement insuffisant de l'enseignement privé.

Le passage du primaire au secondaire devrait être sanctionné par un examen comme le certificat d'études, comme par le passé. Les élèves au niveau insuffisant resteraient dans le primaire, en particulier ceux ne sachant ni lire ni écrire.

L'enseignement pourrait évoluer entre le primaire et le secondaire. La culture générale serait privilégiée des petites classes jusqu'au collège et la culture pré-professionnelle, au lycée. L'utilisation d'enseignants travaillant ou ayant travaillé dans le secteur économique renforcerait l'ouverture à la vie professionnelle. Il est excellent pour les élèves d'avoir des professeurs qui exercent ou ont exercé un autre métier que celui d'enseignant. C'est ce qui se passe dans toutes les universités aux États-Unis. Des cadres au chômage pourraient, après formation, faire d'excellents professeurs. Mais pour cela il faut reformer l'administration et l'Education Nationale...

Il faut aussi revaloriser l'apprentissage. La formation en alternance, excellente institution, devrait être intensifiée.

> L'âge limite d'obligation scolaire devrait être ramené de seize à quatorze ans.

Au cours de ces deux années, les élèves peu doués pour la théorie perdent leur temps, n'apprennent rien et se découragent. Ils font perdre leur temps à leurs professeurs et aux autres élèves et certains deviennent, ensuite, réfractaires à l'apprentissage et à la formation professionnelle. L'allongement de la scolarité obligatoire a été une lourde erreur et peut être aussi l'une des causes de la délinquance. Les enfants, découragés, n'ont plus confiance en eux et ne savent plus quoi faire.

En regard, de nombreux métiers de proximité dans l'artisanat, dans l'alimentation, dans l'entretien ou la réparation, disparaissent alors qu'ils sont indispensables. Ils pourraient être assurés par des jeunes qui sont plus aptes aux activités manuelles qu'intellectuelles.

En ce qui concerne les études supérieures, il faut, en revanche, maintenir nos grandes écoles qui forment d'excellents ingénieurs. Plus spécifiquement, en ce qui concerne nos futurs techniciens, il me semble utile de simplifier l'enseignement mathématique et de privilégier la physique qui sera la base de leur futur métier.

En 1985, une lettre de Jean-Pierre Chevènement, ministre de l'Éducation nationale, intitulée « Mieux apprendre pour mieux entreprendre »,

demandait que soit réalisée une véritable coopération éducation — entreprise dans l'ensemble du
système éducatif :

« *Le resserrement des liens entre l'éducation et
l'entreprise est une des grandes tâches à accomplir
aujourd'hui. C'est d'abord l'intérêt des jeunes.
Pour chacun, l'insertion professionnelle est une des
conditions de l'accomplissement personnel. Sur ce
chemin, l'école est la meilleure voie de la réussite.*

*C'est, ensuite, l'intérêt du pays. Pour relever le
défi d'une compétition internationale impitoyable,
la France doit réaliser un bond général de la formation et des qualifications. Alors que le savoir
bouleverse tous les aspects de l'activité humaine,
rien n'est plus décisif que la conquête du savoir.
Mais cette conquête est indissociable de l'environnement économique et technologique où le savoir
trouve ses applications.*

*Or, le monde de l'école et celui de l'entreprise ne
sont ni par nature ni par tradition tournés l'un
vers l'autre; leurs préoccupations, leurs contraintes,
leurs formes d'organisation et leurs fins sont différentes, et pourtant complémentaires.*

*Les rapprocher, dans le respect réciproque de leur
identité, construire concertation et coopération
appellent volonté et patience. La confiance se
mérite et se conquiert rarement par surprise.*

C'est l'affaire de tous. (...)[1] »

1. Lettre du 28 février 1985, Bulletin officiel de l'Éducation nationale, n° 9, 28 février 1985, page 749.

L'année suivante, c'est au tour de René Monory, de créer, par décret[2], un Haut comité Éducation — Économie chargé de rapprocher le système éducatif et le monde de l'économie.

Près de quinze ans plus tard et cinq gouvernements de plus, un long chemin reste encore à parcourir...

> L'enseignement pourrait retrouver une nouvelle efficacité :
> * En favorisant le développement des écoles privées sous contrat et la mise en concurrence entre les établissements d'enseignement public à tous les niveaux,
> * En adaptant la formation aux besoins des entreprises sans négliger la culture générale,
> * En maintenant l'indépendance des grandes écoles ;
> * En ramenant l'obligation scolaire à quatorze ans.
> * En supprimant le principe du collège unique.

2. Décret n° 86-328 du 7 mars 1986.

CHAPITRE III

UN OUTIL D'EFFICACITÉ ÉCONOMIQUE ET DE PAIX SOCIALE : LA GESTION PARTICIPATIVE

Le progrès économique et social nécessite une solidarité totale de tous les membres de la communauté et à tous les niveaux. Il s'agit de transformer l'esprit de lutte des classes (salariés, profit), en consensus social dans les entreprises et dans la nation. Le progrès social n'est pas la propriété de la Gauche, bien au contraire, mais quand la gauche oublie de l'associer au progrès économique elle commet une faute qui aboutit tôt ou tard à la récession. Le progrès social est une nécessité absolue mais qu'il faut réaliser dans le cadre d'un progrès économique constant, développé au profit de tous.

Sans progrès social pas de progrès économique, par manque de consensus mais sans progrès économique pas de progrès social par manque de moyens.

La participation, concept mis en œuvre par le général de Gaulle, est l'élément clé qui permet le passage d'un libéralisme dur, égoïste, qui ne recueille pas l'adhésion des salariés et qui provoque des conflits sociaux à un libéralisme participatif qui associe les salariés aux progrès de l'entreprise et à ses résultats. Le profit partagé est la règle d'or du libéralisme participatif. Mais cela ne s'arrête pas là.

1) – Les conflits sociaux sont dus à des motifs d'insatisfaction et à des malentendus qui ne sont pas uniquement liés à des problèmes de rémunération.

Dans toute communauté humaine, et l'entreprise en est une, le travail ne sera efficace que si tous les participants sont motivés.

Les salariés veulent travailler dans une organisation dynamique et humaine où ils sont motivés. Or, ils se retrouvent trop souvent dans des entreprises qui appliquent des modèles de relations sociales archaïques.

Ce sont ces entreprises qui connaissent le plus de conflits sociaux. La direction est pyramidale, aucune délégation de pouvoir n'existe, aucune concertation n'a lieu à aucun échelon, aucune information n'est diffusée au personnel qui travaille sans savoir ni pourquoi ni comment. Les impératifs de rentabilité permettent de dégager des bénéfices sans que le personnel ne reçoive sa part, à l'exception des entreprises où la participation est obligatoire.

Or, les motifs d'insatisfaction et de démocratisation sont universels.

Partout, les mêmes causes produisent les mêmes effets. Les salariés réagissent de la même façon, quelle que soit leur activité, parce que ce sont des hommes dont il faut satisfaire les besoins.

Ce constat a abouti à une synthèse psychologique de groupe sur les motifs d'insatisfaction et les raisons de la démotivation que j'ai appelée « Gestion Participative ».

2) – Qu'est-ce que la gestion participative ?

La gestion participative est à la fois un état d'esprit et une méthode de gestion économique et sociale. Elle a le souci de rendre l'entreprise plus humaine, de veiller à l'épanouissement des hommes tout en développant une efficacité économique qui profite à tous.

Son objectif est de reconnaître à tout salarié sa dignité d'homme, son droit à l'information, à la concertation et à la responsabilité. Par ailleurs, elle démythifie la notion de profit qui se trouve souvent à l'origine des conflits grâce au partage des bénéfices avec le personnel, après avoir signé un accord avec les syndicats.

La gestion participative cherche à remplacer une situation conflictuelle par une situation participative. Le patron reste le patron et reste maître de ses décisions. Seulement, il ne dirige plus tout à fait comme avant. Il doit se soucier en priorité de la motivation de ses collaborateurs, de ses salariés et appliquer une large concertation

Dans une entreprise il n'y a pas deux adversaires, il n'y a pas les salariés d'un côté et le patron avec les actionnaires de l'autre. Les uns et les autres doivent former une grande équipe qui doit réussir à vendre des produits compétitifs pour satisfaire, à la fois, les salariés, les actionnaires et les clients.

3) – La gestion participative met l'homme au centre de toutes les préoccupations des chefs d'entreprise.

Issue d'une longue maturation, fondée sur l'expérience de terrain acquise au fil des ans au sein de nombreuses sociétés, la gestion participative propose l'application de la participation bien au-delà de l'aspect financier des ordonnances sur l'intéressement et de la participation promulguées en 1959 et 1967.

La méthode proposée est extrêmement vivante et positive car évolutive, en perfectionnement continuel. Elle fait preuve de pragmatisme car elle est bâtie sur l'expérience.

Le climat social dans une entreprise est aussi important sinon plus que sa valeur technique, industrielle ou commerciale. Car, si le climat social n'est pas bon, rien de durable ne peut se faire et l'entreprise risque de périr, quelle que soit la valeur de ses produits.

Or, aucune loi ne modifiera le climat social. D'autres lois ajouteraient, au contraire, des contraintes néfastes aux activités des entreprises. Les changements ne peuvent venir que d'une évolution dans les esprits, en premier lieu de ceux des chefs d'entreprise et des cadres.

Avoir des objectifs économiques et des objectifs humains permettant l'épanouissement de l'être doit devenir leur règle de conduite dans une société libérale.

Ainsi sera menée la vraie réforme de l'entreprise, sans révolution, sans heurts mais avec beaucoup plus de difficultés et d'efforts que s'il y avait une obligation légale. Car cette « révolution » ne relève d'aucune loi, d'aucune autre obligation que celle de constater pragmatiquement ce qui est efficace et ce qui ne l'est pas. Il s'agit d'une des choses les plus difficiles à réaliser au monde : un changement de mentalité.

4) – Son application est, avant tout, de la responsabilité des chefs d'entreprises.

Les chefs d'entreprise et les responsables hiérarchiques ont pendant trop longtemps mené des combats d'arrière-garde pour résoudre les problèmes sociaux de leurs entreprises. Trop longtemps, le salarié de l'entreprise a été considéré comme une main, comme un simple exécutant.

Trop longtemps, les chefs d'entreprise et les cadres ont oublié qu'ils avaient aussi une tête et surtout un cœur. Par leur autoritarisme, leur absence de communication, leur mépris des autres, ils aboutissent à la démotivation des membres de leurs équipes et au conflit. Or, le mépris des chefs et, surtout, des « petits chefs » envers leurs subordonnés provoque des ravages considérables et paralyse toutes les bonnes volontés.

Combien de fois ai-je rencontré d'excellents collaborateurs, extrêmement efficaces et compétents, mais incapables de communiquer avec leur personnel et finalement rejetés par eux. La seule solution a été de se séparer de ces collaborateurs qui n'avaient pas compris qu'ils avaient aussi à jouer un rôle social et humain et qu'ils ne pouvaient rien faire seuls.

Il faut que les chefs d'entreprise comprennent la nécessité absolue de s'occuper eux-mêmes de leur personnel avec le souci permanent de leur motivation et de ne pas laisser les syndicats être leurs seuls interlocuteurs. Le chef d'entreprise doit être un bon jardinier. Il n'est pas à l'abri des tempêtes et de la sécheresse mais s'il n'arrose pas ses plantes et ne les nourrit pas, elles dépériront.

5) – Rendre les hommes heureux dans des entreprises prospères.

Pour changer le climat social dans les entreprises, il n'existe qu'une méthode : améliorer les relations humaines entre tous les membres du personnel, salariés, hiérarchie, cadres, direction.

Cela consiste, tout en laissant aux chefs d'entreprise leur pouvoir, à leur demander de changer d'attitude vis-à-vis de leurs salariés pour les transformer, peu à peu en associés. La direction, les cadres, les salariés et les syndicats, s'ils le veulent, doivent travailler main dans la main, pour que l'entreprise puisse jouer son triple rôle qui est de satisfaire à la fois ses clients, ses salariés et ses actionnaires avec une priorité absolue pour les clients.

C'est au chef d'entreprise de bien comprendre les responsabilités qu'il doit assumer vis-à-vis de ceux qui travaillent avec lui.

Il doit faire en sorte de supprimer leurs motifs d'insatisfaction :

- En humanisant les relations hiérarchiques pour satisfaire **leur besoin d'être** ;
- En mettant à leur disposition les informations nécessaires pour satisfaire leur **besoin de savoir** ;
- En utilisant au mieux leurs compétences pour satisfaire leur besoin de **responsabilité** ;
- En partageant avec eux le bénéfice pour satisfaire leur **besoin d'avoir**.

Être, savoir, pouvoir et avoir sont ainsi les quatre besoins fondamentaux universels permanents qu'il est nécessaire de satisfaire pour obtenir des salariés motivation et adhésion au projet.

Il ne s'agit pas d'une mode passagère. La gestion participative est une méthode universelle. Elle est éternelle. La seule différence est que ceux qui n'auront pas compris son importance et son efficacité n'atteindront jamais leurs objectifs.

Rendre les hommes heureux dans des entreprises prospères doit devenir l'objectif fondamental des chefs d'entreprise. Et, plus ils seront heureux, plus elle sera prospère.

Mais, comment satisfaire les quatre besoins fondamentaux ?

6) – Le besoin d'être, la considération.

Le besoin « d'être » correspond au désir le plus fondamental de tout être humain : être reconnu par les autres, être considéré, en un mot, exister.

Ce besoin est certainement celui qui est le plus négligé. S'il y a des mécontents, ce n'est pas toujours parce qu'ils se considèrent comme insuffisamment payés mais parce qu'ils ne se sentent pas suffisamment considérés.

Un syndicat aux États-Unis avait provoqué un mouvement de grève avec le slogan : « *No more money, more consideration* » (Nous ne voulons pas plus d'argent mais plus de considération). C'est exactement le fond du problème.

Être considéré, être félicité, être encouragé, savoir que l'on est content du travail fait, sont des besoins fondamentaux propres à chaque individu à quelque niveau que se soit. Le manque de considération fait autant de mal à un directeur ignoré par son patron qu'à un compagnon oublié dans son atelier.

Pourtant, la considération ne coûte rien et c'est peut-être pour cela qu'elle est si difficile à octroyer. Nous n'en mesurons pas suffisamment l'importance pour les autres, même si nous en ressentons nous-mêmes les effets.

La considération ne descend pas automatiquement en cascade. Dans un système de type directif, avec une succession de grands et petits chefs, chacun veut imposer son autorité.

Au contraire, si le chef considère bien ses subordonnés, s'il les traite d'égal à égal, s'il les consulte, s'il les informe, s'il reconnaît ses erreurs et si tous les intermédiaires jouent le jeu, la considération peut alors descendre jusqu'aux échelons les plus bas.

Considérer quelqu'un, quel qu'il soit, c'est, au minimum, lui dire bonjour, lui parler, le traiter d'égal à égal. Combien de fois ai-je rencontré de chefs d'entreprise ou de cadres qui traversent un atelier sans s'adresser au personnel, sans même le regarder ? Quelle erreur !

L'amélioration de l'environnement et des conditions de travail contribue à développer ce sentiment car c'est une façon de montrer que le personnel n'est pas oublié et que l'on se pré-occupe de lui.

7) – Le besoin de savoir.

Le besoin de savoir est relatif à la nécessité de l'information sur tout ce qui se passe dans l'entre-prise.

Rien ne doit empêcher chaque salarié de comprendre la finalité de son travail et celle de son entreprise, c'est-à-dire fabriquer un produit qui puisse se vendre à une clientèle difficile, exi-geante et sollicitée par la concurrence. L'adhésion du personnel à la stratégie de son entreprise est une clef de sa réussite.

Mais, combien de chefs d'entreprise s'en pré-occupent personnellement? Que de fois le person-nel apprend par la presse ou en dehors de la hié-rarchie ce qui le concerne?

Toutefois, pour bien comprendre les informa-tions données, il faut d'abord recevoir une forma-tion économique.

A) – Formation économique.

Cette formation doit concerner tout le person-nel, depuis le manœuvre jusqu'au cadre supérieur. Elle est essentielle car elle permet d'expliquer la gestion des entreprises, l'économie nationale et les problèmes qui y sont liés.

Chaque salarié doit pouvoir recevoir cette formation. La méthode employée ne sera pas la même pour tous mais tous doivent pouvoir la recevoir et surtout la comprendre.

Cette formation est primordiale car elle fournit la base du langage. Les malentendus viennent souvent du fait que l'on ne parle pas le même langage. Ainsi, par exemple, le mot « profit » est employé par les uns comme symbole de lutte des classes et par les autres, comme un moyen d'améliorer les investissements.

Il est indispensable de démystifier la gestion et le profit. Il faut notamment expliquer à tous les salariés que, dans les entreprises, ce n'est pas le patron qui paie les augmentations de salaire mais que ce sont les clients, que toute augmentation de salaire augmente les prix et rend plus difficile la vente des produits.

En vérité, lorsque les syndicats se félicitent d'avoir « arraché » au patron des augmentations de salaire ou d'autres avantages, ils ne savent pas ou ne veulent pas savoir que cela affaiblira l'entreprise en augmentant ses charges, ce qui risque de compromettre tous les emplois. Le patron n'est jamais assis sur un tas d'or qu'il refuse de distribuer. Il assure une gestion difficile pour plusieurs partenaires dont il doit tenir compte. Le slogan « le patron peut payer » est absurde et suicidaire. *Ce n'est pas lui qui paie mais les clients.*

Les salariés doivent comprendre le rôle du chef d'entreprise avec toutes ses responsabilités, c'est-à-dire, comment il doit, à la fois, fabriquer des produits, trouver des clients, financer des investissements, satisfaire son personnel et ses actionnaires en faisant des bénéfices.

Il faut leur expliquer et leur apprendre à lire un bilan et le compte d'exploitation, leur faire comprendre les principaux problèmes financiers que l'entreprise peut rencontrer.

Ils doivent être conscients que les techniques changent, que les clients évoluent, que les concurrents se multiplient, et que s'ils passent leur temps à faire la grève et à revendiquer, notre pays va rapidement devenir un pays sous-développé.

De même, lorsque les syndicats des services publics se permettent de faire grève pour des raisons diverses, le gouvernement devrait expliquer publiquement :
« Les syndicats réclament tant pour cent d'augmentation ou tant de diminution d'horaires pour tel service public, etc. Voilà, ce que cela coûte. Alors, que faire ? Ou nous augmentons le prix du service pour payer cette revendication ou nous augmentons le déficit de ce service et, dans ce cas, nous devons augmenter vos impôts. »
Or, jamais on n'entend ce langage, jamais on ne met en balance le coût des revendications et la façon de les financer. C'est pourtant simple !
Par exemple, faire payer le déficit de la SNCF par les contribuables revient à faire payer le train même à ceux qui ne le prennent pas.
Il faut bien faire comprendre que rien n'est

jamais gratuit et que tout est payé, d'une manière ou d'une autre, par quelqu'un. Les avantages accordés au personnel d'EDF se retrouvent dans les factures. Les 35 heures accordées à la RATP se retrouvent dans le prix du billet du métro, etc.

B) – Information et communication.

Une fois la formation économique dispensée, il faut informer. C'est le deuxième volet de la méthode. Les salariés sont très mal informés de ce qui se passe dans leur entreprise. Ils ne connaissent rien ou peu d'elle, ce qu'elle produit, quels sont ses clients, quelles sont les orientations données, quel est son avenir, quelles sont ses difficultés, etc.

L'information et la communication doivent être à la fois orales et écrites, descendantes et montantes. Elles doivent porter sur tous les problèmes de l'entreprise : d'ordre financier (bilan, résultats), d'ordre technique (produits futurs), d'ordre commercial (échecs, réussites, concurrents, clients), l'avenir (grandes orientations) et dissiper les fausses nouvelles, les malentendus.

Elles peuvent prendre une forme orale — réunion générale des salariés, réunions par usine, réunions par service, réunions par groupe homogène (cadres, jeunes, femmes, employés...), entretiens individuels — ou écrite — livret d'accueil, journal d'entreprise, notes de direction et de service, lettre individuelle à domicile, affichage, brochures commerciales et bilans, enquête par questionnaire individuel, etc.

La communication détend l'atmosphère, dissipe les équivoques, met chacun à l'aise et lui donne le sentiment d'appartenir à une équipe dont les buts et les moyens sont connus. Elle motive les salariés en leur retirant un sentiment d'isolement.

Les réunions générales de tout le personnel permettent de dissiper des malentendus, de donner des informations vraies, de parler des réalités de l'entreprise, de ses réussites comme de ses échecs, de son avenir, de ses résultats financiers, de ses difficultés éventuelles et d'entamer le dialogue.

Le chef d'entreprise, s'adressant à tout son personnel, prend une autre dimension, d'abord plus proche, plus humaine, plus réelle surtout. Chacun le voit, l'entend, l'écoute et l'apprécie. Les salariés sont heureux de cette marque d'intérêt, leur dignité en sort renforcée. Ils ne se sentent plus des numéros anonymes, mais des hommes et des femmes intégrés à une grande équipe dépendant d'un ensemble auquel ils appartiennent.

C'est le moment que le chef d'entreprise doit choisir pour mettre l'accent sur l'importance des clients et démontrer que ce sont eux qui paient et permettent à l'entreprise de fonctionner.

Ces réunions devront être suivies d'autres aux divers échelons où les salariés pourront parler avec leur hiérarchie des problèmes qui les préoccupent ce qui permettra à la direction de mieux comprendre la situation et d'éliminer tout malentendu.

De son côté, le chef d'entreprise vit souvent d'illusions. Il croit que les salariés sont contents, alors qu'ils ne le sont pas. Il peut mettre l'accent sur un problème alors que ce n'est pas celui-là qui les préoccupe. Une bonne connaissance de l'état d'esprit et des besoins réels du personnel lui permet ainsi d'éviter les malentendus et les conflits.

L'information doit être descendante mais elle doit aussi être montante. C'est en faisant remonter l'information qu'il est possible de comprendre réellement ce qui se passe dans l'entreprise et quels sont les véritables problèmes. Elle remonte de la base vers le sommet par le dialogue et la concertation organisés à tous les niveaux hiérarchiques, par les propositions spontanées, par des enquêtes qu'il s'agisse d'un questionnaire anonyme ou d'un sondage. Il s'agit, sans doute, de l'opération la plus difficile à réaliser mais c'est celle qui permet de détecter au mieux les motifs d'insatisfaction. Les salariés sont ainsi directement impliqués dans la vie de l'entreprise. Ils participent.

8) – Le besoin de pouvoir.

Le besoin de pouvoir est concomitant au besoin d'être, relevant de la volonté du salarié d'exercer des responsabilités et de prendre des initiatives. Il faut satisfaire la dynamique interne de l'homme, tout ce qui le pousse à être responsable. Tout le monde veut être responsable et un grand nombre d'insatisfactions viennent de l'insuffisance de responsabilité tout au long de la vie.

Une centralisation excessive engendre des dysfonctionnements : surmenage des dirigeants, paralysie de la hiérarchie, mécontentement des salariés, décisions inadaptées aux besoins, mauvaise information sur les problèmes réels, etc.

Ce besoin peut être satisfait par la décentralisation qui doit conduire à un maximum de délégations de pouvoirs.

Cette décentralisation peut être effectuée :

- au niveau de l'entreprise par une structure par produits, des unités autonomes de taille réduite avec un budget décentralisé, une délégation de responsabilités, de l'initiative.
- au niveau de l'atelier par enrichissement des tâches, la mobilité de poste, des équipes autonomes, de la concertation sur les méthodes, des cercles de qualité comme au Japon pour enrichir la personnalité des ouvriers et des agents de maîtrise, améliorer la qualité des produits, permettre la libre expression et développer les capacités humaines.

Les responsabilités peuvent aussi bien concerner l'organisation du travail — aménagement des ateliers, choix des machines, méthodes de travail, améliorations de rentabilité, gains de temps, économies — ou l'amélioration des conditions de travail — amélioration de l'organisation locale, réduction des nuisances (température, éclairage, bruits, odeurs, fatigue), participation au choix des moyens de production, suppression des risques d'accident.

Plus d'initiatives pour tous, cela peut signifier des équipes autonomes, la décentralisation.

Il ne s'agit pas de cogérer ou même d'autogérer mais toutes les décisions à chaque niveau de responsabilité doivent être prises par les intéressés. Il ne s'agit pas de demander à chacun de diriger l'entreprise, mais chacun doit pouvoir agir avec le maximum de responsabilités et d'initiatives dans son propre travail.

Je concède qu'il s'agit d'un des besoins les plus difficiles à réaliser car il se heurte aux réticences de la hiérarchie ou aux mauvaises habitudes.

Je découvre, chaque jour, l'importance de ces problèmes. Il m'arrive, encore, par exemple, de donner un ordre à quelqu'un directement sans passer par sa hiérarchie, et de ne pas lui expliquer pourquoi. Il m'arrive aussi de faire le travail d'un collaborateur, de rédiger un texte, de prendre une décision sans le consulter. Il m'arrive parfois de reprocher une décision à quelqu'un sans le féliciter de ce qu'il fait par ailleurs. On a toujours tendance à oublier ses collaborateurs, à ne pas suffisamment les faire travailler et participer à l'activité commune. Attention !

9) – Le besoin d'avoir.

Les salariés espèrent recevoir la meilleure rémunération possible et participer à l'enrichissement de l'entreprise. Cela conditionne en grande partie leur bien-être.

A) – Les rémunérations.

Le besoin d'avoir doit être d'abord satisfait par les rémunérations. La politique salariale est un des premiers éléments à prendre en considération.

La motivation de chacun ne viendra pas des augmentations générales anonymes mais des augmentations individuelles, au mérite, qu'il faudra privilégier. Les augmentations générales sont un des éléments clés de l'inflation et il faut donc les appliquer avec prudence.

En revanche, il faut mettre en place :
• la participation aux bénéfices, obligatoire et instituée dans le cadre de la loi de 1967, dont certaines possibilités dérogatoires intéressantes ont malheureusement été supprimées et qu'il faut remettre en vigueur et y compris dans toutes les PME ;
• l'intéressement non obligatoire plus efficace et plus intéressant institué dans le cadre de l'ordonnance de 1959 et qui n'est pas assez appliqué.

Il serait d'ailleurs utile d'harmoniser ces deux ordonnances en une seule en maintenant les avantages fiscaux pour les salariés et pour l'entreprise.

B) – Intéressement et participation aux bénéfices.

L'intéressement aux bénéfices a une importance économique capitale et une valeur psychologique fondamentale qu'il faut bien comprendre.

L'intéressement aux bénéfices est la meilleure méthode de partage de l'augmentation des richesses de l'entreprise. Comme il n'alourdit pas les coûts de production, il augmente le pouvoir d'achat sans inflation et il partage l'accroissement des richesses entre les actionnaires et les salariés. Il démystifie le profit en démontrant à tous les salariés qu'ils peuvent en bénéficier, cela est de nature à changer leur état d'esprit en leur prouvant qu'ils ne travaillent plus uniquement pour le patron mais aussi pour eux-mêmes.

L'ordonnance sur l'intéressement facultatif de 1959 est plus souple que celle sur la participation obligatoire de 1967 car, sans obligation d'épargne, ni formule, ni montant fixé. Elle permet d'obtenir de bien meilleurs résultats. Elle peut être appliquée à toutes les entreprises quel que soit le nombre de leurs salariés même s'il est inférieur à cinquante. Elle permet de ne pas payer de charges sur salaires sur les sommes ainsi distribuées. Elle est particulièrement bien adaptée aux PMI. Il est regrettable que, n'étant pas obligatoire, cette disposition n'ait été suffisamment appliquée.

Je pense que l'ordonnance de 1967, obligatoire pour les entreprises de plus de cent personnes, serait plus efficace si l'obligation d'épargne était supprimée et si ces dispositions étaient étendues aux entreprises de moins de cent personnes, sans obligation. Celle de 1959 devrait être généralisée au libre choix de la formule par les chefs d'entreprise.

Contrairement aux appréhensions des chefs

d'entreprise, la distribution d'une partie des bénéfices au personnel est un des moteurs les plus efficaces pour en augmenter le montant. L'intéressement permet d'accroître les profits et non de les réduire. Dans toutes les entreprises où un intéressement direct et volontaire a été institué, le bénéfice a augmenté beaucoup plus rapidement que s'il n'y avait pas eu d'intéressement grâce à la motivation du personnel. Celui-ci a alors le sentiment de ne plus travailler uniquement pour le « patron » mais surtout pour lui-même.

Les chefs d'entreprise qui ont appliqué ce système ont reconnu que, grâce à lui, leur entreprise a bénéficié d'une expansion plus rapide et a été plus profitable pour leur personnel et pour leurs actionnaires. C'est un phénomène d'entraînement. Partager une partie du bénéfice avec les salariés, c'est l'augmenter l'année suivante en créant une plus grande motivation qui, elle-même, améliore la rentabilité. Les Américains résument cela par la formule : « *Sharing profit, making profit* » (Partager le profit, c'est faire des profits).

Souvent des chefs d'entreprise m'ont objecté le fait que, ne faisant pas ou peu de bénéfices, ils ne voyaient pas l'intérêt de les partager. Je leur répondrai qu'au contraire, c'est en réalisant de tels accords que les bénéfices viendront grâce à la nouvelle motivation du personnel.

Dans une certaine mesure, l'intéressement aux bénéfices permet d'éviter les augmentations générales de salaires trop rapides demandées par les

syndicats. En effet, il n'est pas possible de faire les deux :
- partager les bénéfices, quand il y en a, est une nécessité ;
- par contre, augmenter les salaires quand il n'y a pas de bénéfices, c'est compromettre l'avenir de l'entreprise en augmentant ses charges. Et, augmenter les salaires quand il y a déjà un intéressement, c'est aussi compromettre la rentabilité.

Alors que l'augmentation de salaire est répétitive et accumule les charges donc les coûts, le montant de l'intéressement est spécifique à un exercice et n'affecte pas les coûts. Tout cela est fondamental et le personnel le comprend fort bien lorsque l'on prend la peine de le lui expliquer.

Il faut aussi distribuer, chaque année, un certain montant défini par une règle fixe et simple. Le bénéfice devrait être divisé en quatre parties réparties entre chaque partenaire : l'État, les actionnaires, l'entreprise et le personnel. Une fois que l'État a pris sa part, la règle la plus simple est de diviser à égalité entre les trois restants. C'est ainsi qu' à Dassault Aviation, l'intéressement et la participation qui représentent le tiers du bénéfice après impôt est partagé entre le personnel, les actionnaires et l'autofinancement.
Depuis 1997, Dassault Aviation distribue ainsi, à tout son personnel, deux mois et demi de salaires sans impôt en plus du treizième mois, soit quinze mois et demi de salaires par an.

Un contrat doit être signé avec une organisation syndicale pour bien préciser les modalités de l'opération : mode de calcul, utilisation, répartition, etc. Une fois le contrat signé, les contestations disparaissent.

Cette opération permettra aussi de réguler les rémunérations en fonction des résultats de l'entreprise. Si les résultats sont bons, il y a intéressement et la rémunération annuelle augmente. S'ils sont mauvais, il n'y a pas d'intéressement, il n'y a peu ou pas de distribution aux actionnaires et la rémunération annuelle diminue.

L'entreprise peut ainsi mieux supporter une passe difficile tout en maintenant la motivation des salariés qui se trouvent traités comme les actionnaires.

L'intéressement aux économies, de son côté, peut être une solution valable pour les administrations, les services publics et utilisable pour les services à gestion budgétaire autonome.

C) – Actionnariat.

Le capital de nos entreprises est de moins en moins français. Les Français savent-ils que les retraités des États-Unis ou d'Allemagne financent, via leurs fonds de pension, des entreprises françaises ? En 1998, la société Alcatel s'est trouvée confrontée à cette réalité. Elle a vu son titre chuter en Bourse, en quelques jours, à la suite d'une réaction de mauvaise humeur de retraités américains composant son actionnariat.

Plutôt que de chercher à multiplier des réglementations ou à dresser des barrières dérisoires, recherchons des solutions offensives. Si nos entreprises manquent de fonds propres pour s'opposer aux prises de contrôle étrangères, c'est parce que l'épargne en France, trop sollicitée par les impôts, n'est pas suffisamment investie dans les fonds propres des entreprises. Il faut donc l'encourager et pousser la réforme de notre système bancaire qui n'est plus adapté aux besoins d'une économie dynamique en croissance.

L'essor du capitalisme populaire est une des réponses à la mondialisation de l'économie.

Développer la participation et l'intéressement des salariés pour les pousser à investir dans leur propre entreprise peut être une bonne solution.

Les salariés devraient pouvoir devenir actionnaires de leur propre entreprise s'ils le souhaitent. L'actionnariat est complémentaire à l'intéressement aux bénéfices puisque les sommes ainsi obtenues peuvent être transformées en actions.

Cette méthode est encore peu développée en France. De nombreuses barrières psychologiques restent toujours à surmonter.
Les salariés, qui peuvent craindre d'avoir tous les œufs dans le même panier et de perdre, un jour, à la fois leur emploi et leurs économies, font preuve d'une grande méfiance. Certains actionnaires ne voient pas encore d'un bon œil une par-

tie du capital être répartie entre les mains des salariés.

Pour quelles raisons le personnel n'aurait-il pas deux casquettes, une casquette de salarié et une autre d'actionnaire?

Le pourcentage d'actions proposées au personnel doit être défini par les actionnaires. Les actions, même non cotées, peuvent être achetées, par décision individuelle de chaque salarié, à un cours défini à l'occasion de chaque bilan, en utilisant leur part d'intéressement.

Il n'est pas anormal que les salariés puissent eux aussi bénéficier de l'augmentation de valeur de leur entreprise cotée ou non en Bourse, acquérir des actions au moment de son introduction et les revendre plus tard à un prix qui aura pu augmenter considérablement. C'est un genre de « stock-option » que l'entreprise peut abonder mais, dans ce cas, il y a effectivement achat d'action par les salariés.

Les salariés participeront ainsi à l'assemblée générale des actionnaires et à la nomination des administrateurs. Si l'entreprise est en difficulté, ils lutteront non pas pour l'achever mais pour la sauver.

C'est la véritable association capital — travail, à condition qu'elle soit décidée librement par chaque salarié, que ce ne soit pas une obligation ou un cadeau, ce qui lui enlèverait toute efficacité et toute motivation.

Dans toutes les entreprises où les salariés sont devenus volontairement des actionnaires, leur état d'esprit a complètement changé. Ils sont évidemment intéressés à leurs rémunérations mais aussi aux profits et à la santé de l'entreprise elle-même. Aux États-Unis, les entreprises dans lesquelles le personnel détient une participation sont nombreuses.

Il reste que ce type d'actionnariat n'est pas facile à mettre en place surtout dans les entreprises non cotées et compte tenu de la législation actuelle qu'il faudra modifier en conséquence.

10) – Une méthode globale.

Ainsi, la gestion participative, complétant judicieusement et débordant très largement la participation financière, devient un nouveau mode de direction et de gestion économique et sociale. Elle révolutionne les relations humaines dans les entreprises.

L'important est de comprendre qu'il s'agit d'une méthode globale et qu'appliquer un élément sans les autres enlève toute efficacité.

• Pas d'information sans intéressement.

Si l'information existe mais sans intéressement, cela revient à dire au personnel : « *Nous faisons des bénéfices mais vous n'aurez pas votre part* ».

• Pas d'intéressement sans information.

Si l'intéressement est distribué sans information, cela revient à dire : « *Vous avez une part des bénéfices mais nous ne vous disons pas comment nous les avons obtenus ».*

• Pas d'information sans décentralisation.

Si l'information circule sans décentralisation, le mécontentement règne et l'on entend dire : « *Nous n'avons pas assez de responsabilités, nous ne pouvons pas prendre d'initiatives, c'est le patron qui décide de tout* », et le processus est enclenché !

Si l'information circule, si la décentralisation des responsabilités est effective et l'intéressement distribué, mais sans formation économique, les salariés ne comprennent rien au bilan, ni au compte d'exploitation, ni à la trésorerie, ni aux investissements. C'est la méfiance. « *Le patron nous trompe, il falsifie les comptes* ».

La méthode est donc globale.

11) – La gestion participative est une méthode totalement libérale qui ne peut être appliquée qu'avec le libre accord de tous les acteurs de l'entreprise.

La gestion participative est une méthode totalement libérale qui ne peut relever d'aucune obligation ni d'aucune loi. Elle ne peut qu'être librement consentie. C'est ce qui en fait la difficulté d'application car elle ne dépend que de la libre volonté du chef d'entreprise, des cadres, du personnel, des syndicats et des actionnaires.

C'est un état d'esprit, une façon d'être et d'agir. C'est ce qui lui donne son efficacité mais aussi rend difficile son application et sa diffusion.

Il faut savoir changer, savoir et surtout vouloir s'adapter aux structures nouvelles. C'est le propre des êtres vivants de s'adapter aux changements. S'ils ne le font pas, ils meurent. De même pour les entreprises.

Il ne sert à rien de craindre la concurrence de sociétés plus performantes et de vouloir s'en protéger par des réglementations voire des protections douanières.

Il n'appartient qu'aux chefs d'entreprise de forger leur destin, en connaissant mieux les règles qui régissent les hommes, les informer, les motiver, les rendre responsables, les considérer.

Il n'appartient qu'aux chefs d'entreprise de modifier leurs comportements pour rendre leurs entreprises plus compétitives. N'attendons pas des autres ce que nous pouvons faire nous-mêmes et faisons-le immédiatement.

La gestion participative n'est pas dangereuse.

Un certain nombre de chefs d'entreprise m'ont demandé : « *Mais si j'applique cette méthode, qu'est-ce que je risque ?* ».

Je leur réponds : Vous ne risquez rien du tout. De toute façon tout ce que vous risquez, c'est de revenir à votre situation actuelle. Avec cette méthode, vous ne perdez pas votre pouvoir, vous faites simplement de la concertation et vous organisez différemment le travail avec votre personnel. Vous faites en sorte que les hommes qui travaillent avec vous soient plus heureux et comprennent qu'ils ne travaillent plus seulement pour vous mais pour eux. Vous même en profiterez en prenant des décisions plus judicieuses.

D'autres me posent souvent la question : « *Cette méthode est-elle valable uniquement pour les grandes entreprises ou vaut-elle aussi pour les petites, pour celles qui font des bénéfices ou pour celles qui font des pertes ?* ».

Pour moi, cette méthode est efficace dans toutes les entreprises quelles que soient leurs activités, leur taille et leurs résultats financiers. Cependant, s'il n'y a pas une dimension optimale, la gestion participative est plus facilement appliquée dans les petites et moyennes entreprises.

De fait, toutes les entreprises n'en sont pas au même stade de gestion participative mais elles peuvent s'aider par leur information et leur expérience réciproques à résoudre peu à peu leurs problèmes. Chacune choisit la méthode la mieux appropriée à sa situation économique et sociale.

La gestion participative peut permettre de sortir les entreprises de leurs difficultés financières et de les sauver de la faillite. En effet, généralement, lorsqu'une entreprise est en difficulté et qu'elle doit licencier, les syndicats déclenchent des grèves pour s'y opposer. Conséquence : l'entreprise aggrave ses difficultés financières et risque de disparaître entraînant tout son personnel au chômage. Au contraire, des salariés responsabilisés, conscients des vrais problèmes, peuvent accepter des réductions de salaires et des licenciements afin de sauver leur entreprise. Les relations établies entre le chef d'entreprise et le personnel peuvent ainsi sauver l'entreprise d'une passe difficile.

La gestion participative n'est ni une duperie, ni une utopie mais une réalité. C'est du concret, du vécu. Elle n'est pas une duperie car lorsqu'elle est appliquée tout le monde y trouve son compte et surtout les salariés. Elle n'est pas une utopie car elle est appliquée dans beaucoup d'entreprises parfois même sans qu'elles le sachent.

12) – Un syndicalisme participatif.

Comme en Allemagne, les chefs d'entreprise et les syndicats devraient coopérer et non se combattre au nom d'une idéologie dépassée.

La lutte des classes n'est plus de mise et pourtant combien de syndicats s'en réclament encore, critiquant les profits, s'opposant aux licenciements, réclamant toujours et toujours plus d'avantages sociaux et moins de travail.

C'est comme cela que l'on aboutit à une impasse économique et sociale où le syndicalisme intransigeant apparaît comme néfaste aux salariés. Trop de revendications tue. Combien d'entreprises ont disparu dans ces conditions à cause de syndicats refusant de prendre en considération leur mauvaise situation économique pour finalement les asphyxier et les empêcher de se redresser en menant des grèves suicidaires ?

C'est pour cela qu'il faut aussi que le syndicalisme évolue et devienne participatif.

13) – La gestion participative, facteur de paix sociale.

Notre économie a besoin de paix sociale pour se développer, affronter la compétition internationale et lutter avec efficacité contre le chômage et l'inflation. Par l'établissement de cette paix sociale, la gestion participative peut contribuer à sa bonne rentabilité et donc à sa bonne santé économique.

Elle humanise les rapports sociaux et enrichit tous les partenaires économiques. Elle permet l'épanouissement des hommes et le progrès social qui renforcent la prospérité des entreprises et le progrès économique.

Informés, responsables, conscients des problèmes de l'entreprise, soucieux des besoins des clients et de la qualité des produits, intéressés aux bénéfices et, si possible, actionnaires, les salariés deviennent ainsi de véritables associés.

Avec la gestion participative, ils disposent d'une autre alternative : celle du développement économique dans l'efficacité, d'une garantie plus sûre de leur emploi avec de meilleures rémunérations, et la satisfaction de jouer un rôle efficace et responsable.

A l'évidence, le consensus social remplace avantageusement la lutte des classes au bénéfice de tous.

Avec la gestion participative, notre économie pourra se développer plus facilement et la lutte contre le chômage sera plus efficace. Il est impossible de conduire des hommes sans se préoccuper de leur motivation. La gestion participative doit remplacer, partout où on le voudra, la gestion hiérarchique qui ignore communication, délégation de responsabilité, concertation et, bien sûr, intéressement.

La gestion participative facilite la croissance dans la paix sociale et rend possible la diminution du chômage.

Ainsi la gestion participative fait partie intégrante du Libéralisme participatif. L'un ne va pas sans l'autre.

Cela remet aussi l'entreprise à sa vraie place dans l'économie. Elle cesse d'être pour le pouvoir l'ennemie à abattre. Elle n'est plus susceptible d'être intégrée dans un filet de contraintes administratives et fiscales pour l'empêcher de « mal se conduire vis-à-vis des salariés ». Au contraire, la régulation automatique, salaire profit, se fera sans heurt.

L'organisation du travail, les horaires se définiront non plus par une loi absurde mais par le libre consentement des salariés soucieux aussi de satisfaire les clients qui les font vivre.

L'économie et le social se fondent dans un même moule, l'entreprise, source de travail, de profit, de richesse qui fonctionne sans heurt au bénéfice de tous.

C'est cela le **Libéralisme participatif**.

CHAPITRE IV

L'ÉTAT PARTICIPATIF

Voter pour qui ?
Voter pour quoi ?

Les candidats aux élections proposent en général un programme séduisant pour être élus. Ils ne se préoccupent pas de savoir s'il pourra être appliqué et surtout quelles en seront les conséquences. Ils n'osent pas proposer des mesures impopulaires mais qui seraient nécessaires. C'est le difficile dilemme de la démocratie. Le plus grave est que, parfois, une fois élus, ils n'osent même pas appliquer leur propre programme et font le contraire de ce qu'ils ont annoncé, parce qu'ils pensent toujours aux futures échéances électorales.

Madame Thatcher n'a pas eu ce souci en Angleterre. Elle gagna les élections en 1977, en s'attaquant résolument à tous les problèmes de l'Angleterre d'alors : économie paralysée par les syndicats (grève des mineurs, refus de travailler), fiscalité délirante, impôt sur le revenu de 80 %, déficit budgétaire, inflation, chômage, etc. Elle eut le courage et la volonté de dire clairement ce qui n'allait pas et ce qu'il fallait faire, à contre courant de tous les programmes démagogiques de l'époque.

Contrairement à toute attente, elle fut élue et appliqua son programme sans hésiter. Elle ne céda à aucune pression. Elle gagna son pari et, aujourd'hui, l'Angleterre est florissante.

Qui fera pareil en France? Qui marchera sur ses traces en France?

Il faut que nos responsables politiques changent d'état d'esprit et d'attitude.

Il faut qu'ils adoptent un autre langage, un langage sans promesses, sans illusions, en clair : un langage de vérité.

Il faut dire ce qui doit être fait et pourquoi.

Il ne faut pas chercher à gagner des élections en ne proposant pas les mesures qui s'imposent et, plus grave, en n'osant pas les appliquer.

On n'élève pas correctement les enfants en les bourrant de bonbons, même s'ils pleurent pour en avoir...

Il faut non seulement s'occuper de la France mais aussi et surtout des Français et ne plus les tromper.

Depuis trop longtemps, pratiquement depuis le président Georges Pompidou, qui avait un solide bon sens (« Arrêtez d'emmerder les Français », avait-il apostrophé ses ministres), tous les gouvernements successifs ont fait fausse route. Aussi bien avec la Droite, complexée, incapable ou ne voulant pas décider des bonnes mesures à prendre, qu'avec la Gauche, empêtrée dans son idéologie et ses alliances contre-nature. Il faut que cela change. Nous sommes, aujourd'hui, les derniers de la classe :
– prélèvement obligatoire maximum,
– temps de travail minimum,
– chômage maximum
– endettement maximum
– fiscalité la plus élevée.

A part cela, tout va bien.

1) Tête à Droite et cœur à Gauche.

On peut s'interroger pour savoir ce qui distingue les idées politiques de la Gauche de celles de la Droite, si les objectifs ne sont pas les mêmes et si les moyens sont tellement différents.

Si :
• la promotion de l'économie libérale,
• la liberté d'entreprendre et la promotion des entreprises,
• le souci de l'ordre et de l'autorité sous toutes ses formes (État, famille, école, entreprise),
• la réduction des charges de l'État,
• la privatisation,

- la diminution du chômage par le développement des entreprises,
- la réduction de la fiscalité,
- la défense nationale,
- la construction de l'Europe,
- la participation,

sont plutôt des moyens de Droite,

- La réduction du chômage par des aides aux salariés,
- le contrôle économique par l'État,
- l'accroissement des charges de l'État et du nombre de fonctionnaires,
- l'accroissement des contraintes, des charges fiscales sur les entreprises et les revenus,
- la réduction de la durée du travail,
- les impôts sanctions de la réussite,

sont plutôt des moyens de Gauche,

On a vu récemment des gouvernements de Droite augmenter les charges et les impôts des particuliers et des entreprises et des gouvernements de Gauche procéder à des privatisations et à des réductions d'impôts que la Droite n'avait pas osé faire.

En vérité, il semble que les hommes politiques de droite sont plutôt complexés, alors que les hommes politiques de gauche appliquent leur programme. Conscients des vrais problèmes, une fois qu'ils sont au pouvoir, ils n'hésitent pas à changer de langage et de programme.

Comme Antoine Pinay le disait : « *Il faut susciter la confiance plutôt que la contrainte* ». Car, la confiance est la base de tout développement économique. Margaret Thatcher ne s'y est pas trompée : « *Je fis de mon mieux pour encourager la confiance. Tant que les bases économiques sont saines — finances publiques, politique monétaire, niveau d'impôt, etc. — un climat de confiance entraîne un accroissement des investissements et des dépenses de consommation, qui favorise la reprise.* »[1] Les conséquences positives de cette attitude induites sur l'économie britannique se font toujours sentir aujourd'hui et sont appliquées par un gouvernement de gauche.

Dans un système collectiviste, l'État intervient partout parce qu'il ne fait pas confiance aux hommes d'où les multiples contraintes imposées.

Le libéralisme, au contraire, est pragmatique. Il fait confiance à l'homme et à l'initiative privée pour décider, entreprendre, investir, innover, travailler, inventer. C'est ce qui le sépare du socialisme et de toutes les formes de dirigisme qui, au contraire, font confiance à l'État.

Être libéral, c'est un comportement politique qui conduit à responsabiliser le plus possible les individus. L'idée de base du libéralisme, c'est la défense de la **liberté d'entreprendre** qui fait ensuite tache d'huile dans tous les domaines et dont tout dépend : **liberté du travail, liberté syndicale, liberté d'installation, liberté de l'information, liberté de l'enseignement, liberté de la santé, liberté de gestion...**

---

1. *Downing Street.* Mémoires, Margaret Thatcher, Albin Michel, 1993, page 248.

Mais évidemment avec les limites de ne pas profiter des libertés pour les supprimer aux autres.

2) – La France en l'an 2001.

La France est vulnérable. Elle vit dans un monde de plus en plus hostile où la mondialisation s'impose et où la paix est loin d'être assurée dans différentes parties du monde et même en Europe.

A) – Un monde dangereux.

Des foyers de déstabilisation permanents existent dans la plupart des continents : en Europe (Balkans), au Moyen-Orient (Liban, Israël, Iran, Irak), en Afrique (Angola, Éthiopie, Somalie, Congo, Mozambique, Namibie, Tchad, Côte d'Ivoire, Sierra Leone). D'autres se développent en Asie (Afghanistan, Inde/Pakistan, Chine/Taiwan). Partout l'homme redevient le pire ennemi de l'homme pour des raisons religieuses ou raciales, et règnent, alors, massacres et mutilations.

La prolifération et la dissémination d'engins balistiques combinées au développement de leurs capacités nucléaires, chimiques, ou biologiques pourraient faire qu'un jour l'Europe soit touchée par l'un d'eux. Cela pourrait, à l'extrême, conduire l'humanité au suicide collectif.

Bref, une situation extrêmement sensible qui n'émeut apparemment pas nos politiciens.

B) – La France est très vulnérable économiquement.

Il suffit pour s'en rendre compte de connaître quelques chiffres :

En vingt ans, la dette publique est passée de 400 milliards de francs à plus de 5 300 milliards de francs et pour quel bénéfice? Apparemment aucun. Alors, gâchis, mauvaise gestion aussi bien de Droite que de Gauche? Le point de démarrage a été en 1981, année de l'élection de François Mitterrand, et la situation n'a fait que s'aggraver sous tous les gouvernements.

Évolution de la dette publique de 1970 à 2010

En milliards de francs

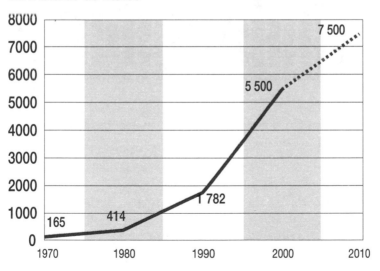

La dette publique est passée de 414 milliards de francs en 1980 à 5300 milliards en 2000, soit près de treize fois plus, conséquence des gestions aussi bien de Gauche que de Droite, aussi irresponsables les unes que les autres.

Part de la dette publique dans le PIB
En % du PIB

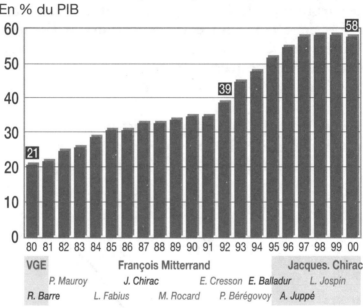

Source : Comptabilité nationale

Le poids de la dette publique dans le PIB est passé de 20 % au début des années 80 à près de 40 % en 1992 et à 58 % en 1997.

Là aussi, ce graphique montre que, si la dérive a commencé dès le premier septennat de François Mitterrand, ce sont cependant plutôt les gouvernements de Droite qui ont augmenté le plus fortement l'endettement en le faisant passer de 1993 à 1997 de 45 % à 58 % du PIB. Il s'est stabilisé sous Lionel Jospin. En 1999, le seul paiement des intérêts de la dette représentait un peu plus de 15 % du total des dépenses du budget général !

Le rapport du sénateur Marini sur l'évolution de la dette publique est encore plus alarmiste :

« La dette publique par actif occupé est ainsi passée de 27.084 francs en 1980 à 212.163 francs en 1997. Elle représente désormais plus de 2 fois le revenu disponible annuel par habitant[3]. »

Notre déficit budgétaire a atteint 191 milliards de francs en 2000 (plus de 1 700 milliards de francs de dépenses pour 1 508 milliards de francs de recettes). Il s'accroît régulièrement sans que personne ne tire la sonnette d'alarme.

---

3. Rapport d'information n° 413 fait au nom de la commission des Finances, du contrôle budgétaire et des comptes économiques de la Nation sur l'évolution de la dette publique (1980-1997), annexe au procès-verbal de la séance du 9 juin 1999.

Comparaison de l'évolution de la charge de la dette et de l'impôt sur le revenu de 1970 à 2010

En milliards de francs courants

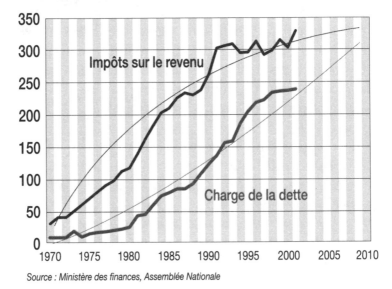

Source : Ministère des finances, Assemblée Nationale

Pour l'année 2000, le poids de la dette publique à atteint 58 % du PIB, soit, pour un PIB de 9 144,6 milliards de francs, une dette de 5 303 milliards de francs. En 2001, la charge de la dette publique atteint **240** milliards de francs.

Et quand on s'aperçoit que l'on a des recettes supplémentaires au lieu de réduire le déficit budgétaire, on parle de cagnotte et l'on distribue! C'est de l'irresponsabilité grave de la part de nos dirigeants politiques.

Voici trente ans, l'impôt sur le revenu (l'IRPP) représentait plus de trois fois le remboursement de la dette de l'État.

En milliards	1970	1971	1972	1973	1974	1975	1976	1977	1978	1979
Charge de la dette	9	9	9	19	10	15	17	18	20	22
Impôts sur le revenu	30	40	40	50	60	70	80	90	97	112

	1980	1981	1982	1983	1984	1985	1986	1987	1988	1989
Charge de la dette	25	43	45	60	74	79	85	85	93	109
Impôts sur le revenu	117	139	162	183	203	210	226	234	230,6	238,5

	1990	1991	1992	1993	1994	1995	1996	1997	1998	1999
Charge de la dette	124	137,5	157	159,5	187	206	219,5	223,5	235	237
Impôts sur le revenu	263	303,5	307	310	296	297	314	293	299,5	316

	2000	LFI 2001
Charge de la dette	238	240
Impôts sur le revenu	304	330

Dans quelques années, il suffira à peine à couvrir cette charge annuelle de la dette.

N'est-ce pas effarant?

A raison de près de 200 milliards de francs de déficit budgétaire annuel, la dette se stabilisera à un remboursement de 240 milliards de francs par an, et l'on continuera à augmenter sans aucun souci nos dépenses sociales (100 milliards de francs pour les 35 heures). C'est 70 % de nos impôts sur le revenu qui partent en fumée chaque année. Si le déficit annuel s'accroît, on prévoit vers 2009 que ce serait la totalité de l'impôt sur le revenu qui paiera la charge de la dette. Le président de la société privée qui présenterait un tel bilan serait depuis longtemps licencié.

La France vit nettement au-dessus de ses moyens depuis plusieurs années. Elle dépense depuis longtemps plus qu'elle ne gagne, sans s'en émouvoir. Pire, le gouvernement continue à dépenser dans tous les domaines sans se préoccuper le moins du monde des recettes et du déficit budgétaire. La gestion de nos finances n'est pas contrôlée et il semble que le ministre des Finances, quel qu'il soit, n'a aucun pouvoir pour arrêter l'augmentation de nos dépenses. Il en va de même pour les impôts qui continuent de s'aggraver.

C) – L'État étouffe l'initiative au lieu de la susciter.

Près de 9 % de la population active française est au chômage — 4,5 % aux États-Unis — et notre économie est bridée par un carcan réglementaire trop rigide. Elle est davantage tournée vers la recherche des subventions et des protections de toutes sortes que vers l'innovation.

Nous sommes la Nation où :
- L'État est le plus centralisé et le plus interventionniste,
- la législation la plus dense (80 000 lois),
- les dépenses publiques les plus fortes,
- l'impôt le plus lourd,
- le nombre de fonctionnaires le plus élevé,
- et le taux de chômage le plus élevé.
Beau bilan...

Notre industrie est paralysée par :
- Des contraintes administratives et fiscales excessives ;
- Des coûts de production trop importants dus à des charges sur salaires trop élevées, des heures de travail effectuées parmi les plus basses ;
- Des investissements insuffisants en technologies nouvelles, en robotisation, en recherche fondamentale, etc.
- Une organisation commerciale insuffisante pour l'exportation au niveau de l'État où l'action politique en faveur de l'économie est bien moindre que celle de la Grande-Bretagne et des États-Unis.

Quand l'État confisque la richesse de l'entreprise, il obère le futur car il pénalise les investissements productifs.

Il ne saurait être question de faire entrer notre

151

pays dans le XXIᵉ siècle avec des idées du XIXᵉ. Les gouvernements successifs n'ont pas pris la mesure des dangers et des enjeux de la mondialisation. Ils se contentent de gérer tant bien que mal leurs propres contradictions, inspirée alternativement par l'idéologie socialiste — taxation des entreprises, pression fiscale sur les classes moyennes, impôts fortement démotivants, fonctionnarisation des métiers de service — ou par un timide libéralisme — redéploiement des privatisations.

Mais, pendant ce temps, le monde évolue. *Alors que nos dirigeants font le choix du partage de la pénurie, d'autres font celui de la création d'emplois et de richesses.* Alors qu'ils décident d'imposer de nouvelles contraintes à la société, d'autres font le pari de la liberté. Alors que la France perd son temps dans des querelles idéologiques et politiques stériles et que le lien national s'affaiblit, d'autres se consacrent à renforcer leur unité et à tirer le meilleur parti de leurs atouts.

D) – Les nationalisations : le tonneau des Danaïdes.

En 1945, de nombreuses entreprises furent nationalisées. La présence des communistes dans le gouvernement du général de Gaulle imposa ces nationalisations parfaitement inutiles et qui coûtèrent très cher.

De nouveau, en 1982, le gouvernement socialo-communiste de François Mitterrand appliqua le Programme commun de la Gauche. Il nationalisa un grand nombre de sociétés, prétextant que tous

les problèmes seraient résolus par le contrôle éta-
tique. Or, il apparaît aujourd'hui que, plus il y a
d'entreprises publiques, plus il y a de charges
financières budgétées pour rembourser leur déficit, et plus il y a de chômage. Quel bilan!

Période	Société	Nature	Montant
1982	Entreprises nationalisées	Coût des nationalisations	41 à 43 milliards
1982	Entreprises nationalisées	Pertes d'exploitation et prise en compte des charges de retraite	50 milliards
1981-1999	Entreprises nationalisées	Dotation en capital	217 milliards
1993-1995	Entreprises nationalisées	Fonds propres injectés	300 milliards
1982-1995	Entreprises nationalisées	Pertes hors déficit des organismes sociaux et hors Crédit Lyonnais	300 milliards
1992- 1998	Bull	Aides de l'État	11 milliards (40 milliards au total depuis création)
1992-1998	Thomson	Aides de l'État	11 milliards (40 milliards au total depuis création)
1992-1998	GAN	Aides de l'État	14 milliards (40 milliards au total depuis création)
1992-1998	Crédit Lyonnais	Aides de l'État	45 à 50 milliards
	Crédit Lyonnais	Dotation totale en capital	100 milliards
1992-1998	Air France	Aides de l'État	20 milliards
1996	SNCF	Aides de l'État	45 milliards
1998	SNCF	Aides de l'État	56 milliards
1992-1998	SNCF	Déficit annuel	70 milliards
1991-2000	GIAT	Recapitalisations successives	18,5 milliards
TOTAL			**1305,5 milliards**

*Ces chiffres ne sont que des estimations. En vingt ans,
l'économie française a gaspillé plus de 1300 milliards...*
Source : Ministère de l'économie, des finances et de l'industrie.

Nous pouvons mesurer les désastres apportés par toutes ces nationalisations et ce qu'elles ont coûté et coûtent encore à la France. Grave illusion idéologique qui est de croire que tout ce que fait l'État est bon et qu'il peut gérer des entreprises. La grande différence entre un bon président et un mauvais président d'une société nationale et d'une entreprise privée est que pour une entreprise nationale l'État augmente le capital pour une « dotation » du nouveau président et que pour une entreprise privée, le nouveau président est viré.

C'est aussi simple que cela.

Des dizaines, voire des centaines de milliards de pertes ont été accumulés par Air France, le Crédit Foncier, le Crédit Lyonnais, le Gan, Giat Industries, etc. En ce qui concerne la SNCF, il s'agit de savoir qui paie le train et les investissements nécessaires, l'usager ou le contribuable ? C'est plutôt les contribuables !

Que d'argent perdu. Quand l'État s'entête à faire un métier qui n'est pas le sien, ce sont les contribuables qui payent et l'économie qui s'affaiblit.

Tout cet argent gaspillé ou dilapidé en pure perte, de déficits en emprunts successifs, ont été perdus pour l'économie marchande, les fonds propres des entreprises, la recherche et le développement de nouvelles technologies, l'accès au crédit des PME/PMI et donc pour l'emploi. En revanche, c'est autant d'impôts en plus. Et l'on trouve cela normal !

3) – L'Europe en devenir, la fiscalité, son industrie de défense, son élargissement.

Ce n'est pas parce qu'il y a un Parlement européen et que l'euro est lancé que le problème de l'Europe est résolu même si on continue à l'élargir à de nouveaux pays membres.

La construction d'une future Europe politique devrait se faire. Personne ne sait la forme qu'elle prendra et je crois, de plus, qu'aucun pays ne la veut vraiment. L'Europe des intérêts nationaux n'a pas fini d'exister.

La monnaie unique, c'est bien, du moins pour les exportations hors Europe, tant que l'euro est faible par rapport au dollar.

Quant aux échanges inter-européens, l'euro est un piège pour les pays aux coûts de production les plus élevés car comparés en euros, les prix de la même voiture, de la même télévision, du même ordinateur sont plus élevés pour eux et ils seront défavorisés tant que l'harmonisation fiscale ne sera pas faite.

La France est de ceux-là.

Le plus urgent serait donc de réaliser une réelle harmonisation fiscale et sociale européenne. Cela signifie la baisse des impôts en France, la suppression de certains autres comme l'ISF seul supporté par les Français, la mise en conformité des charges sur salaires sinon les prix des produits français en euros seront bien loin d'être compétitifs.

Plaidoyer pour la préférence européenne

D'autre part, si la préférence européenne n'est pas imposée pour tout achat de matériel de défense en Europe, jamais une industrie de défense européenne ne pourra être constituée. Comment, et surtout pourquoi, vouloir une industrie de défense européenne si la Grande-Bretagne préfère les hélicoptères américains, les Pays-Bas et le Danemark un futur avion de combat américain qui n'existe pas, la Norvège un avion de combat américain, la Pologne un avion de combat d'occasion américain, etc.? Si pour répondre aux besoins européens, ce sont les États-Unis qui vendent leurs matériels, il n'y aura jamais d'Europe de la Défense. Elle restera une façade, une vitrine vide. La restructuration des industries de défense n'aura servi à rien. Ce n'est pas un des moindres problèmes à résoudre pour l'avenir.

Quant à l'élargissement de l'Europe, à quoi servira-t-il? A augmenter les dépenses européennes de Bruxelles, c'est-à-dire, les nôtres? A ouvrir nos frontières non seulement à des produits qui coûtent moins chers que les nôtres mais à une importation qui ne fera qu'amplifier les problèmes que nous avons déjà.

Arrêtons les grands discours, les tonitruantes déclarations d'intention et commençons, si on le souhaite, à bâtir une Europe cohérente dans tous les domaines, mais certainement pas avec vingt-quatre pays dont toutes les législations sont différentes, voire anti-économiques.

En outre, quand on voit les dérives provinciales d'un nationalisme renaissant, comme en Corse, au Pays Basque espagnol, voire en Bretagne, on peut également se demander à quoi vont servir, pour l'Europe, la Pologne et la Hongrie, si l'on n'est pas capable de maintenir notre unité nationale.

4) – La Nation française.

A) – Qu'est-ce que la Nation ?

Notre Nation a été forgée par l'histoire, la culture, les traditions, les valeurs, les lois et la langue communes. Elle est le résultat de tous les conflits internes et externes qui l'ont agitée pendant tant de siècles, du sacrifice de tant de morts pour la France qui ont, peu à peu, construit notre pays, démocratique et libre. Il ne faut jamais les oublier.

La Nation française, symbolisée par le drapeau français, la Marseillaise et la devise « Liberté, égalité, fraternité », restera toujours vivante, même dans un futur cadre politique européen dont l'échéance est loin d'être fixée. Aucune intégration future ne devra la faire disparaître. Elle devra toujours garder sa spécificité et ses valeurs.

La Nation, ce n'est peut-être plus la patrie au sens du territoire à défendre au péril de sa vie mais c'est la communauté de culture, de langue, d'habitudes, d'environnement.

B) – Favoriser l'intégration des étrangers.

La France est une terre d'accueil. Son histoire montre qu'elle a toujours su faire une place à ceux qui souhaitaient réellement s'y installer pour y vivre et y développer leur activité pour le bien commun *en respectant ses lois.* C'est pour cela qu'il faut favoriser au maximum l'intégration des immigrés qui souhaitent vivre en France et devenir Français, choisissant ainsi de respecter les lois de la République et la propriété d'autrui.

Mais, ce n'est pas en les logeant dans des cités réservées à l'environnement déplorable, véritables ghettos et, par voie de conséquence, inévitables foyers de chômage et de délinquance en tout genre, que leur assimilation sera favorisée.

L'urbanisme des années 1950 à 1970 est un des responsables des difficultés d'intégration et de la délinquance : par la construction de tours et de barres d'immeubles trop rapprochées, par la densité trop grande de familles par immeuble, par la taille trop réduite des appartements, par l'absence d'installations associatives, culturelles, cultuelles ou sportives. Une rénovation urbaine de ces quartiers permettrait de résoudre ce problème, du moins en partie. On en est encore loin, mais plus personne ne veut habiter les tours qui sont de plus en plus désertées.

Notre devoir de Français est d'aider au maximum ceux et celles qui désirent vivre en paix et en harmonie dans notre pays. Mais une fois installés en France, il faut qu'ils respectent nos lois et notre police.

Les municipalités ont un rôle fondamental à jouer dans ce domaine. Suivant leur attitude vis-à-vis des populations d'origine étrangère et des jeunes, la sécurité pourra régner ou non. J'en ai fait l'expérience comme maire de Corbeil-Essonnes. Si je n'avais pas immédiatement tendu la main à tous mes administrés quelle que soit leur origine et parfois quel que soit leur casier judiciaire, je n'aurais pas pu changer radicalement le climat de certains de mes quartiers, théâtre, il n'y a encore pas si longtemps, de véritables émeutes.

Les jeunes sont des enfants qui crient pour qu'on s'occupe d'eux. Parfois, ils crient un peu fort, il faut alors savoir les calmer et surtout s'occuper d'eux.

Ce problème relève du besoin de considération que j'ai développé précédemment dans le cas le la Gestion Participative.

Sans considération le jeune se révolte et casse.

Avec considération il s'intègre et finit par trouver sa place.

Cela ne relève ni de la police, ni de la justice, mais du rôle fondamental du maire d'une commune qui doit s'occuper de tous ses administrés.

5) – L'État doit être réformé.

A) – État socialiste et État libéral.

Pour la Gauche, c'est toujours plus d'État, ce qui nécessite plus de moyens financiers, plus de bureaucratie, plus de fonctionnaires donc plus d'impôts, plus de contraintes et moins de libertés.

Pour les libéraux, ce devrait être moins d'État, moins de fonctionnaires, moins de bureaucratie, avec moins d'impôts et moins de contraintes et plus de libertés. Le rôle de l'État doit être limité à l'administration et à la sécurité.

Heureusement, en France, les socialistes commencent à douter de l'efficacité de leur doctrine et deviennent de plus en plus libéraux, tandis que la Droite complexée croit trouver son salut... dans le socialisme.

La société libérale n'est pas un produit du passé mais bien au contraire un modèle pour l'avenir. C'est pour ne pas avoir suivi les principes libéraux que l'économie connaît les difficultés les plus graves.

Le libéralisme n'a pas échoué en France pour la bonne raison qu'il n'y a jamais été appliqué.

B) – Le rôle de l'État.

• Son rôle politique.

L'autorité de l'État est indispensable dans le cadre du maintien de la sécurité extérieure et intérieure.

A l'extérieur, l'État assure les relations internationales avec le maintien des alliances, des aides économiques et militaires aux pays amis. Il doit faire face aux conflits éventuels avec les moyens nécessaires (défense nationale, industrie d'armement) et ne pas attendre d'avoir besoin de matériel ou de munitions pour les commander. Mais, pour cela, encore faut-il que l'État ait la volonté de promouvoir une politique de production d'armement et d'exportation de nos matériels en y mettant les moyens nécessaires. Dans le cas contraire, un jour, la France devra s'approvisionner aux États-Unis et elle perdra alors toute indépendance. Car notre industrie d'armement ne peut survivre avec les seuls besoins français. Il faudrait donc que notre gouvernement avec ses ministres, accepte de faire ni plus ni moins que ce que font leurs homologues américains, anglais ou allemands pour vendre leur matériel d'armement.

A l'intérieur, la loi républicaine doit s'appliquer partout sur le territoire national, et aucune zone de non-droit ne doit exister, en y mettant les moyens requis (gendarmerie, CRS). Pour cela, la police devrait être considérablement renforcée de façon à être présente partout où cela est nécessaire avec des effectifs suffisants. Cela est loin d'être le cas actuellement. La diminution des effectifs de nos armées devrait être compensée par une augmentation du nombre de gendarmes et de policiers.

L'État doit donner à la justice les moyens de s'exercer plus efficacement en accélérant les procédures, en réservant la garde à vue et la détention provisoire aux individus dangereux exclusivement, mais en faisant preuve de plus de fermeté vis-à-vis des délinquants mineurs qui se croient tout permis. La législation devrait être modifiée à leur égard, au moins pour rendre leurs parents responsables.

L'État doit assurer l'efficacité de l'administration avec un minimum de fonctionnaires et en simplifiant les règlements.

Pour réduire le chômage, éliminons la mauvaise solution qui consiste à augmenter le nombre d'emplois administratifs. Ils doivent, au contraire, être réduits au minimum indispensable. En effet, leur augmentation ne résout certainement pas le problème car l'État ne peut pas faire travailler, ou payer sans travailler, tous les chômeurs et tous les Français.

• Son rôle économique.

L'autorité de l'État ne doit pas empiéter dans le domaine économique où son implication passée s'est révélée partout catastrophique.

L'État n'a pas à gérer des entreprises industrielles, il ne sait pas le faire et n'a pas les moyens de le faire. Ce n'est pas son rôle car la notion de rentabilité et de profit lui est étrangère. Pour l'État, il est préférable d'aider les entreprises nationales déficitaires à survivre plutôt que d'aider les entreprises privées bénéficiaires à se développer. Cela doit cesser.

Il faut aider les bons gestionnaires et sanctionner les mauvais.

L'État doit opérer une privatisation générale de toutes les activités économiques qu'il détient encore.

La création d'un organisme financier garanti par l'État chargé de financer les entreprises en formation et en développement serait un outil formidablement efficace pour créer des emplois avec des investissements limités.

Cela serait plus efficace que les 35 heures.

C) – Maîtriser les dépenses de l'État.

• Réduire le déficit budgétaire.

Ce ne sont pas uniquement les gouvernements de Gauche qui ont augmenté les impôts et aggravé le déficit budgétaire, loin de là. Depuis 1981, la France a été gouvernée aussi bien par la Gauche (quatorze ans) que par la Droite (six ans) et le résultat est là.

Évolution de l'impôt sur le revenu et de la CSG depuis 1990

En milliards de francs

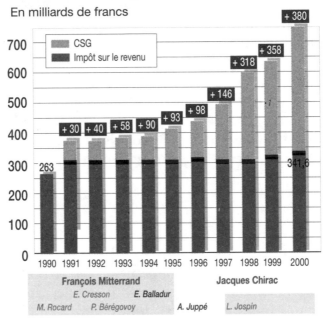

Sources : Ministère des finances et Ministère de l'emploi

Le déficit budgétaire depuis 1990

En milliards de francs

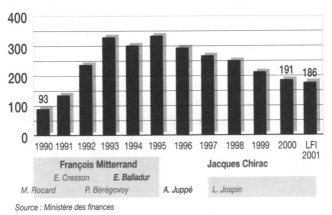

Source : Ministère des finances

164

Ce double graphique est saisissant. Le premier montre que l'impôt sur le revenu est resté stable de 1990 à 1999 quel que soit le gouvernement, par contre, le rendement de la CSG est devenu considérable. La ponction totale sur le revenu est donc plus importante qu'on ne le croit. **La CSG a doublé l'impôt sur le revenu en 1999.**

En vérité, il faudrait supprimer l'impôt sur le revenu si on laisse la CSG en vigueur, ou l'inverse, mais pas les deux à la fois.

Le second graphique révèle que le déficit budgétaire annuel s'est aggravé de 1993 à 1997. Il est vrai qu'Édouard Balladur avait hérité d'une situation économique et budgétaire catastrophique. Le déficit budgétaire a commencé à se réduire à partir de 1997 avec l'arrivée de Lionel Jospin et de Dominique Strauss-Kahn! et au retour de la croissance.

« Trop d'impôt tue l'impôt ». Il fait fuir une partie de la jeunesse de la Nation à l'étranger. *Quarante mille scientifiques français vivent ainsi en Californie.* Travailler pour peu de résultats ne satisfait personne. Payer plus d'impôts sur la fortune que l'on ne reçoit de rémunération, ce qui est souvent le cas avec l'ISF, fait fuir les élites intellectuelles, certains détenteurs de capitaux et des chefs d'entreprise retraités qui ne bénéficient plus de l'exonération liée à l'outil de travail.

Seuls les États-Unis et la Grande-Bretagne sont de bons élèves. La Grande-Bretagne affiche un équilibre budgétaire et les États-Unis, depuis 1996, un excédent budgétaire impressionnant.

Sans doute leur politique est la bonne, pourquoi ne pas l'appliquer ?

Comparaison des déficits budgétaires
En milliards de francs

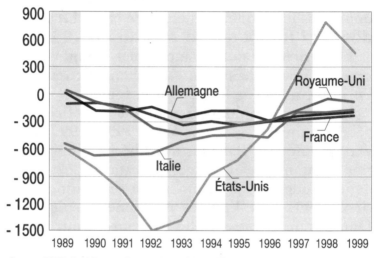

Source : OCDE, Quid, Bureau of economics analysis, MH Treasury, Istat.

On voit nettement que la France est avec l'Allemagne le mauvais élève de la classe.

• L'administration et les dépenses publiques.

Il est intéressant de voir l'importance du secteur Éducation dans les dépenses budgétaires. Bien que ces chiffres ne prennent pas en compte environ une centaine de milliards supplémentaires dépensés par les communes (écoles primaires), les départements (collèges) et les régions (lycées). S'il est sain de consacrer beaucoup d'argent à la formation, nous avons l'enseignement le plus cher du monde mais pas le plus efficace. L'ensemble des effectifs de l'Éducation nationale représente près d'un million

Loi de finances pour 1999...
... parts des principaux ministères

Hors charges communes, en milliards de francs

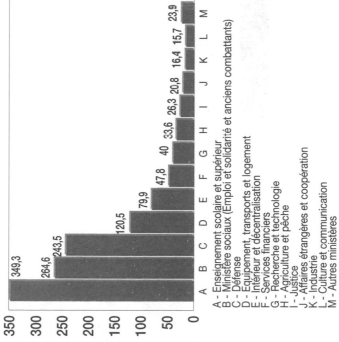

A - Enseignement scolaire et supérieur
B - Ministère sociaux (Emploi et solidarité et anciens combattants)
C - Défense
D - Equipement, transports et logement
E - Intérieur et décentralisation
F - Services financiers
G - Recherche et technologie
H - Agriculture et pêche
I - Justice
J - Affaires étrangères et coopération
K - Industrie
L - Culture et communication
M - Autres ministères

Source : Ministère de l'économie, des finances et de l'industrie

... effectifs des principaux
ministères en 1999

En milliers d'agents

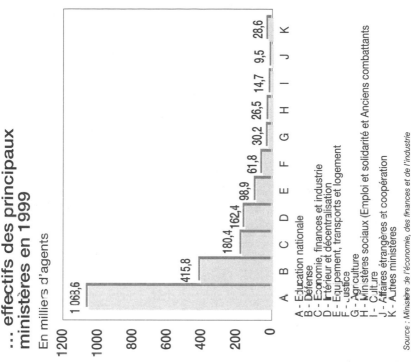

A - Education nationale
B - Défense
C - Economie, finances et industrie
D - Intérieur et décentralisation
E - Equipement, transports et logement
F - Justice
G - Agriculture
H - Ministères sociaux (Emploi et solidarité et Anciens combattants)
I - Culture
J - Affaires étrangères et coopération
K - Autres ministères

Source : Ministère de l'économie, des finances et de l'industrie

cent mille personnes sur les 2,97 millions d'agents de l'État dont 416 000 militaires, hors appelés.

> En France, le secteur public est passé de 1980 à 1994 de 17 à 25 % de la population active alors qu'en Grande-Bretagne, il passait pendant la même période de 21 à 15 % grâce à Margaret Thatcher. La France devient de plus en plus « hors jeu ».
> Notre pays est totalement à contre-courant en matière de réduction des dépenses de fonction publique.

Dépenses totales des administrations publiques

En % du PIB, en 1999

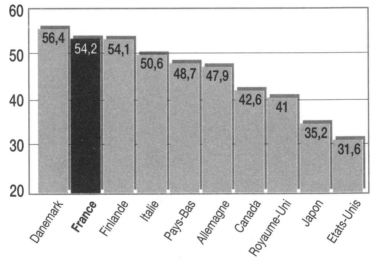

Source : OCDE (décembre 1999)

« Depuis la fin des années 80, la réduction du volume de l'emploi public est un élément essentiel des stratégies de maîtrise des dépenses publiques chez les partenaires de la France.

Les programmes de réduction des effectifs publics mis en œuvre par de nombreux partenaires de la France peuvent surprendre par l'ampleur des coupes proposées. Ainsi, les emplois du secteur public britannique ont diminué de 22 % entre 1987 et 1990. En Suède, un plan de réduction de 23 % des effectifs en deux ans a été adopté en 1989. Il a plus tard été révisé à la hausse. Au Canada, l'emploi dans les services publics a diminué de 5 % entre 1985 et 1993. Aux États-Unis, un objectif de compression de 13 % des effectifs, soit 272 000 fonctionnaires a été fixé en 1993. En Allemagne, l'emploi public a été réduit de 250 000 postes entre 1991 et 1995. Aux Pays-Bas, les effectifs de la fonction publique ont décru de 0,4 % par an depuis 1987. (...)

En France, la progression du nombre d'emplois publics a été continue jusqu'en 1996. De 1973 à 1996, la variation de l'emploi total, soit + 1 million, résulte d'une création de 1,6 million d'emplois publics et d'une destruction de 600 000 emplois dans le secteur privé marchand[4]. »

« En 1997, le poids des charges de personnel public dans le budget général était de plus de 591 milliards soit 37,8 % de ce budget[5]. »

Aux États-Unis, un chef d'État démocrate a réussi à présenter quatre budgets consécutifs en excédent. Bill Clinton a même proposé d'inscrire dans la Constitution que tout déficit budgétaire

---

4. Sénat, Rapport général n° 85, " Le budget de 1998 et son contexte économique et financier " par le sénateur Alain Lambert, page 50.

5. *Ibid.*, page 53.

Répartition des dépenses publiques selon leur nature

En milliards de francs

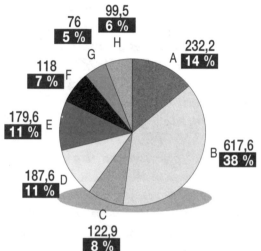

A - Intérêts de la dette publique
B - Rémunérations, pensions et charges sociales relatives aux personnels
civils et militaires de l'Etat
C - Fonctionnement des services de l'Etat (y compris Défense)
et des organismes subventionnés
D - Interventions sociales (concours à la Sécurité sociale, RMI, handicapés,
logement, anciens combattants)
E - Interventions économiques (emploi, logement, transport, agriculture)
F - Autres interventions (dotations aux collectivités locales, subventions
à l'enseignement privé, bourses d'enseignement, soutien à la formation
professionnelle)
G - Equipement de la Défense
H - Equipement civil (communes, départements, logement, programmes
de recherche, routes, universités)

Source : Ministère de l'économie, des finances et de l'industrie

de l'État Fédéral serait non conforme à la Loi Fondamentale.

En France, les fonctionnaires, dont le nombre grandit sans cesse et presque automatiquement, induisent une charge budgétaire de plus en plus insupportable. De plus, le fonctionnaire consciencieux ne voit jamais ses efforts récompensés et quand il en voit d'autres, moins consciencieux, recevoir les mêmes avantages et la même rémunération... Il y a de quoi être démotivé! Une réforme de la fonction publique serait indispensable mais qui aura la volonté et le courage de la proposer?

• <u>Les finances des collectivités locales.</u>

Une collectivité locale devrait pouvoir réduire ses dépenses de fonctionnement si ses recettes diminuent. Quand une commune perd brutalement une partie de ses ressources fiscales, en particulier à cause de la diminution des ressources de la taxe professionnelle, elle n'a aucun moyen de réduire ses dépenses, et ses recettes diminuent peu à peu.

Les garanties d'emprunt imposées aux collectivités locales pour les constructions de logements sociaux devraient être supprimées car ces collectivités sont totalement incapables d'assumer ces garanties en cas de sinistre des sociétés HLM. Si elles devaient les assumer cela serait catastrophique pour les contribuables. Une collectivité locale n'est pas une banque, loin de là, car elle n'a aucune réserve pour payer d'éventuels sinistres.

171

Ces garanties sont une fiction. En réalité, c'est une grave menace pour les collectivités locales qui sont obligées de payer dès que la société HLM est défaillante. Il faut rendre cette pratique totalement illégale d'autant plus qu'elle est parfois appliquée pour des entreprises privées.

La décentralisation voulue par François Mitterrand et Gaston Defferre était une bonne idée.

Malheureusement, l'État en ce moment reprend d'une main ce qu'il avait laissé échapper de l'autre. On observe que les dotations budgétaires en provenance de l'État sont fréquemment supérieures aux ressources fiscales propres des collectivités territoriales. La décentralisation dans notre pays est en danger. Il faudra prendre des engagements fermes pour donner un second souffle à cette idée force de la vie publique, démocratique du pays.

6) – Rénover notre politique fiscale.

La France est parmi les pays des grands pays industrialisés (ceux du G7) celui où les prélèvements obligatoires sont les plus élevés :

Recettes fiscales brutes 1999	Milliards de francs	%
Impôts directs		
Impôt sur le revenu	333,6	17,6
Impôt sur les bénéfices des sociétés	271,4	14,3
Retenues à la source + prélèvements sur les revenus des capitaux mobiliers et les bons anonymes	11,3	0,6
Taxe sur les salaires	47,9	2,5
Impôt sur les grandes fortunes (ISF)	12,7	0,6
Autres	66,6	3,6
Total	**743,5**	39,2
Impôts indirects		
TVA	841,4	44,4
Taxes intérieure sur les produits pétroliers	161,6	8,5
Contributions indirectes dont :	149,6	7,9
Taxe sur les tabacs	41,5	2,2
Impôt sur les successions et donations	43,1	2,2
Taxe sur les conventions d'assurance	27,1	1,4
Total	**1 151**	60.8
Total des recettes fiscales en 1999	**1 894,5**	100

...Recettes auxquelles il faut ajouter les montants de la CSG pour 1999 : 358 milliards de francs destinés à combler le déficit de la Sécurité sociale.

On s'aperçoit que les recettes de l'ISF ne sont que de 12,7 milliards de francs et les impôts sur les successions et les donations de 43 milliards alors que le coût des 35 heures dépasse 100 milliards en 2001. Il est donc facile de supprimer ces deux impôts en réduisant le coût des 35 heures.

En France, les prélèvements obligatoires ont atteint près de 46 % du PIB en 1998 (UE = 41,3 %, Etats-Unis et Japon = moins de 30 %) avant de revenir à 45,5 % en 2000. En 1970, ce pourcentage n'était que de... 35,6 %.

Il est douloureux de constater que la croissance de ces prélèvements obligatoire a commencé avec Valéry Giscard d'Estaing, que ce sont les gouver-

Évolution du taux des prélèvements obligatoires
En % du PIB

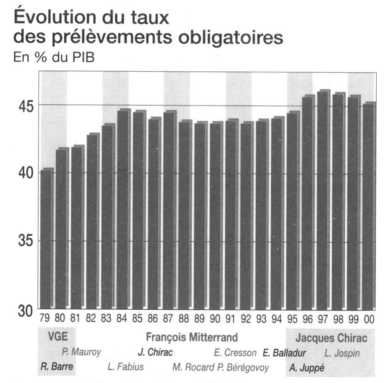

Source : Ministère de l'économie, des finances et de l'industrie

174

nements Rocard, Cresson et Bérégovoy qui ont stabilisé le taux de prélèvements à 43,7 %, que ce sont des gouvernements de droite qui les ont amenés à 46 %. La tendance s'est inversée avec Lionel Jospin et Dominique Strauss-Kahn et avec le retour de la croissance.

La fiscalité a une importance fondamentale dans la vie d'un pays.

Une bonne politique fiscale doit permettre de subvenir aux besoins *d'un État raisonnable* et, surtout, ne pas avoir comme conséquences la démotivation des contribuables et l'insuffisance des investissements.

Il n'y a que deux formes d'impôts possibles : l'impôt sur la consommation et l'impôt sur le chiffre d'affaires.

Beaucoup sont à supprimer : **l'impôt sur la fortune**, comme c'est le cas en Allemagne et en Grande-Bretagne, **l'impôt sur les successions** qui rapportent peu et démotivent les cadres, les dirigeants et les ménages.

Deux impôts sont à réduire car antiéconomiques : l'impôt sur le revenu et l'impôt sur les sociétés.

Mais, avant tout, il y a surtout à réduire les dépenses de l'État et en particulier le nombre de fonctionnaires.

Les pays qui connaissent le plus de croissance (États-Unis, Taiwan, Singapour, etc.) sont ceux où les impôts sont les plus bas et ce n'est pas un hasard...

A) – Les droits de succession.

Les droits de succession touchent la plupart des familles. Elles ont souvent quelque chose à laisser en héritage : maison, terrain, bijoux, actions, etc. Malgré la franchise de 500 000 francs, cela oblige des familles qui n'ont aucune liquidité pour payer à céder ce qu'elles reçoivent, et souvent à perte. Ses héritiers doivent alors vendre le ou les biens dont ils héritent, parfois souvent à un prix inférieur au prix d'évaluation par le fisc s'ils ne trouvent pas d'acheteur.

Certains héritiers d'entreprise ont été contraints de vendre à des étrangers pour régler l'impôt. Pour payer la totalité des droits, ils doivent se saigner en engageant leurs biens personnels. Le comble est que parfois **les héritiers doivent payer plus qu'ils ne reçoivent**, notamment lorsque l'évaluation de l'héritage ne permet pas, à cause de la faiblesse du marché, de payer l'impôt même en vendant tout.

Ainsi, la règle d'évaluation des titres cotés en Bourse le jour du décès, pour le calcul de l'impôt sur les successions est totalement absurde. Des familles ayant reçu en héritage des actions, dont la valeur a subitement baissé entre le jour du décès et le jour de la vente des actions en Bourse, ont dû pratiquement vendre toutes celles qui leur restaient pour payer l'impôt. Il n'y a qu'en France que cela existe.

L'accroissement régulier de la charge fiscale sur les patrimoines, aggravé par les hausses des prélèvements sociaux et des impôts locaux, met la France au premier rang de la pression fiscale du patrimoine.

176

Droits de mutation à titre gratuit en 1999 (en % du PIB)

	France	Allemagne	Royaume-Uni
Impôt sur les successions	0,38	0,14	0,22
Impôts sur les donations	0,17	0,02	0
Total	0,55	0,16	0,22

Source : OCDE

Il faut arrêter ces errements, arrêter de parler d'égalitarisme et laisser aux héritiers, sans impôts, tout ce qu'ils peuvent recevoir de leurs parents. Il faut annuler totalement l'impôt sur les succes sions. Ce n'est pas en ponctionnant et en appauvrissant les Français que la France sera plus riche. Bien au contraire. Et cette suppression motivera d'autant plus que les parents travaillent pour leurs enfants.

B) – Les charges familiales sont à déduire des revenus.

Toutes **les charges familiales devraient être déduites de la déclaration d'impôt** sur le revenu des familles comme, par exemple, le montant des sommes consacrées à l'aide familiale, au logement ou à l'éducation des enfants, coût des

177

études publiques ou privées. Les allocations familiales ne sont pas imposables. Les loyers et les charges locatives devraient être défalqués ainsi que les remboursements des emprunts pour accéder à la propriété du logement principal. La famille — *couple marié* — devrait être considérée comme une petite entreprise avec des revenus et des charges, ces dernières donnant droit à des déductions fiscales. L'impôt serait perçu sur le seul revenu net moins les charges familiales. Seul le mariage devrait être considéré comme l'acte de fondation de « l'entreprise famille » et donner droit à ces déductions.

C) – L'impôt sur le revenu plafonné à 30 %.

L'impôt sur le revenu des assujettis actuellement devrait être plafonné à 30 % et associé à une déduction des frais familiaux du revenu imposable comme on vient de le dire.

Une politique fiscale efficace donne le maximum de recettes avec le minimum de démotivation et de fraude. Aux États-Unis, peu nombreux sont ceux qui cherchent à se soustraire à l'impôt qui est limité à 30 %.

D) – L'impôt sur la fortune.

Mis en place par un gouvernement socialiste et renforcé par un gouvernement de Droite, cet impôt anti-économique rapporte peu mais frappe sévèrement un petit nombre de contribuables. Il a

178

cependant des conséquences néfastes incalculables :

Il punit celui qui, par son travail, accroît son capital ;

Il détruit de nombreux patrimoines ;

Il n'est payé qu'en France. Du fait de la disparité fiscale en Europe de plus en plus de Français quittent la France pour ne pas payer cet impôt. De jeunes entrepreneurs vont s'installer ailleurs pour ne pas avoir à le payer plus tard.

Beau résultat ! Il faut donc le supprimer. Mais qui aura le courage de la faire ? La Droite n'a pas osé y toucher et l'a même aggravé. Peut-être la Gauche, plus réaliste, le fera-t-elle... un jour ? Mais rien n'est moins sûr.

C'est pour cela qu'il ne faut pas hésiter à supprimer cet impôt.

Ainsi tout gouvernement qui accepterait de supprimer en même temps :
— l'impôt sur la succession,
— l'impôt sur la fortune,
— réduirait le plafond de l'impôt sur le revenu à 30 %,
donnerait à la motivation des hommes, des salariés, de nos cadres, de nos chefs d'entreprises et à notre économie un coup de fouet considérable qui profiterait à tout monde et permettrait à l'État de récupérer d'un côté ce qu'il aurait « perdu » de l'autre. C'est simple et rapide à faire.

Mais il faut, pour cela, changer d'état d'esprit, faire confiance aux hommes et donc au Libéralisme participatif.

7) – Les priorités sociales.

A) – Pour une politique de la famille.

La famille est la cellule de base de la société, celle ou les enfants doivent trouver leur équilibre et leur épanouissement. Elle permet aux générations successives de prendre un jour le relais, car la vie est un relais sans fin, des parents aux enfants qui deviendront parents, etc. Sans enfant, la vie s'arrête.

Le père et la mère ont de lourdes responsabilités qu'ils doivent apprendre à assumer. Enseigner aux enfants la discipline, le respect, le travail, la tolérance et les responsabiliser, doivent être des obligations absolues. Sinon, les enfants livrés à eux-mêmes deviennent vite incontrôlables. Ils risquent de sombrer dans la délinquance. C'est ce qui se passe déjà dans de nombreux quartiers en France, dits sensibles, où la démission des parents la favorise.

La cellule familiale est donc fondamentale pour notre société et son avenir en dépend. Suivant la façon dont les enfants seront élevés, suivant le climat intérieur des familles, notre pays continuera à se développer ou sombrera dans la contestation permanente et l'incompétence.

Pour lui donner toute sa valeur et tout son poids, il faudrait rendre le mariage civil plus solennel et non limité à une lecture rapide de quelques phrases du code civil. Il faut indiquer clairement aux futurs époux les responsabilités qu'ils devront assumer, entre eux et avec leurs enfants.

La vie de couple est une expérience que garçons et filles doivent vivre sans la moindre préparation, en improvisant. Il faudrait les informer, les responsabiliser, les rendre capables d'affronter les moments délicats de la vie conjugale, familiale pour éviter des conflits ultérieurs entre eux ou avec les enfants. Des associations existent, qui proposent ce type de réflexion. Les communes pourraient servir de relais pour les faire mieux connaître.

Il faut aider la famille par tous les moyens et faciliter l'installation des jeunes ménages par des crédits spéciaux.

A présent de nombreuses jeunes femmes travaillent dans un souci bien légitime d'indépendance, d'épanouissement et aussi, bien sûr, par nécessité pour apporter leur contribution financière au foyer.

Cependant, il serait utile d'encourager la femme à rester au foyer et de ne pas l'obliger à travailler pour gagner de l'argent qu'elle va dépenser, en grande partie, en frais de garde des enfants et au prix d'une fatigue insupportable. **Un salaire de mère de famille au foyer devrait compléter les allocations familiales et être fiscalement déductible.**

La famille monoparentale devrait peu à peu disparaître car elle est une des plaies de notre système social. Pour cela, le père qui abandonne femme et enfant, marié ou non, devrait être automatiquement assujetti au versement d'une pension substantielle, prélevée automatiquement sur le salaire et subir les conséquences d'une poursuite judiciaire.

Une cellule familiale monoparentale est totalement déséquilibrée. Elle ne peut que désavantager la mère seule et les enfants sans père. Il est déplorable de voir de plus en plus de jeunes femmes abandonnées, élever seules leurs enfants avec de grandes difficultés. C'est à elles, en priorité, que les salaires de mère au foyer devraient être reversés.

La famille sera renforcée lorsque aura été mise en place la déduction du revenu imposable des charges de la famille relatives au logement et aux aides familiales, réservée aux couples mariés.

Enfin, les femmes devraient pouvoir bénéficier du travail à temps partiel et même à domicile ainsi que des formations de reconversion adaptées. A cet égard, la fonction publique et ses syndicats multiplient les freins à la mise en place du temps partiel. L'État, lui-même, ne donne pas l'exemple. Pourquoi ne pourrait-on pas titulariser une personne travaillant volontairement à temps partiel?

B) – Les allocations familiales.

Notre politique familiale doit être profondément repensée et simplifiée.

182

Il faut d'abord rétablir l'égalité des enfants français devant les allocations familiales remises en cause récemment. Il faut simplifier notre système de prestations familiales devenu, au fil des années, complexe et opaque. Il faut surtout le financer différemment et surtout pas en taxant les salaires, comme on l'a vu précédemment.

Il serait souhaitable de définir l'effort financier voulu par le gouvernement en faveur de la famille. Cela devrait faire l'objet d'un vote annuel dans le cadre du budget.

Enfin, les allocations familiales devraient être plafonnées à cinq enfants, par exemple. Cela éviterait les excès de la polygamie...

C) – Le droit au travail.

Si le droit de grève est reconnu par la Constitution, la liberté du travail l'est également. Les occupations de locaux, usines ou autres, sont en fait illégales mais elles sont, la plupart du temps, tolérées, ce qui est extrêmement grave et dangereux pour la liberté du travail. Chacun a le droit d'arrêter de travailler mais il n'a pas le droit d'empêcher qui que ce soit de travailler.

Aucun piquet de grève, aucune action de gréviste ne devrait empêcher un ouvrier, un cadre, de pénétrer dans son usine pour y effectuer son travail. Le libre accès aux postes de travail pour le personnel doit être absolument garanti.

183

L'entrave à la liberté du travail devrait être déclarée par le chef d'entreprise et cela devrait suffire à déclencher l'action de la force publique.

Le droit de grève ne doit pas aboutir à troubler l'ordre, la sécurité publique, la circulation par le blocage des routes, des aéroports, l'arrêt des trains, le blocage des raffineries, ou des ports. Ce sont des actes qu'il ne faut pas tolérer et laisser se développer. Le gouvernement doit faire respecter la loi ou même simplement appliquer la législation du code de la route. Une voiture mal garée se voit gratifier d'une contravention de 270 F. Pourquoi un camion mal garé qui bloque la circulation ne se verrait pas attribuer une contravention dissuasive pour le conducteur avec suppression du permis de conduire ? Cela limiterait considérablement ce genre de pratique. Il se trouve que, le plus souvent, le personnel d'entreprises en grève qui voudrait travailler ne le peut pas et est menacé par les syndicalistes. Cela est intolérable et devrait être sanctionné par la justice. Il appartient au gouvernement de prendre les mesures nécessaires.

La liberté syndicale devrait être préservée, avec l'institution de la liberté de candidature dès le premier tour, pour toutes les élections socioprofessionnelles. Les syndicats sont comme les partis politiques, ils représentent si peu de salariés que leur place sur l'échiquier des relations sociales doit être redéfinie.

D) – Les droits et les devoirs
des chômeurs.

Comme tous les citoyens responsables, les chômeurs doivent pouvoir bénéficier de droits adaptés à leur situation tout en ayant des devoirs vis-à-vis de la société qui les aide. Trop souvent, les premiers sont considérés comme acquis tandis que les seconds sont négligés, porte ouverte à tous les abus.

Il est avant tout indispensable de protéger la dignité des travailleurs privés d'emploi. De nombreuses associations s'y emploient avec des moyens malheureusement limités. Il faut ainsi abolir les textes supprimant les fins de droit pour ceux et celles qui n'ont aucune ressource et qui ne peuvent manifestement trouver un emploi.

Mais avant de guérir les maux les plus durs, sans doute faut-il les prévenir en mettant en place des structures adaptées à une meilleure réinsertion dans le monde du travail. Une réorganisation totale du système d'aide à la recherche d'emplois doit être entreprise pour le rendre à la fois plus efficace et plus humain.

Je propose donc :

• De supprimer le monopole de l'ANPE et de modifier le code du travail sur « le placement » en l'assouplissant pour favoriser la création de sociétés de placement spécialisées ;

- De mettre en place un réseau informatisé d'informations facilitant la connaissance des besoins et des offres d'emplois au niveau national, régional, départemental et interprofessionnel ;
- D'assurer une formation permanente de reconversion gratuite ;
- D'assurer le recyclage dans une autre branche pour le personnel licencié ;
- De permettre aux chômeurs de faire un remplacement de fonctionnaire, de professeur ou d'employé communal pour avoir une activité. Car s'il est catastrophique de ne plus percevoir de revenu, l'inaction est pire que tout.
- De prévoir un retour automatique et sans délai, dans le système complexe de l'indemnisation du chômage, quand le chômeur accepterait un emploi temporaire.
- De supprimer toutes les contraintes aux emplois à durée déterminée ou temporaire. A partir du moment où l'employeur et l'employé sont d'accord, l'État n'a pas à intervenir.

Il est intolérable de constater, sans y remédier, que l'assurance-chômage est l'objet d'abus considérables. Certaines personnes optimisent leur situation en faisant alterner des périodes de travail et des périodes de chômage pendant lesquelles elles travaillent au noir et sont dispensées de nombreux paiements qui sont imposés à ceux qui travaillent. Elles vivent ainsi, dans une large mesure, aux dépens des autres et refusent éventuellement les emplois qui leur sont proposés.

Un chômeur, si son travail donne satisfaction à son employeur, ne devrait pas pouvoir refuser un emploi sauf raison majeure. Il devrait être sanctionné par la réduction de ses allocations chômage s'il refuse deux fois un tel travail.

Les chefs d'entreprise devraient avertir, **six mois à l'avance**, tout salarié, de la suppression de son poste. Dès lors, salarié, chef d'entreprise et pouvoirs publics devraient mettre tout en œuvre pour trouver un nouveau travail à l'employé avant son départ de l'entreprise.

E) – La retraite par capitalisation.

L'estimation de l'évolution du rapport entre actifs et inactifs dans les cinquante prochaines

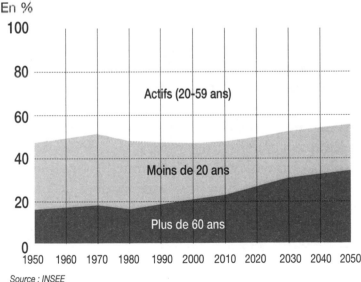

Rapport actifs/non actifs dans la population française

En %

Actifs (20-59 ans)

Moins de 20 ans

Plus de 60 ans

Source : INSEE

187

années montre qu'il sera de plus en plus difficile de payer les retraites par répartition. Il faudra les compléter par une retraite par capitalisation qu'il est grand temps de mettre en route.

Année	1950	1960	1970	1980	1990	2000	2010	2020	2030	2040	2050
% Actifs (20 — 59 ans)	53,6	51	48,8	52,4	53,2	53,6	53	50,5	47,9	46,4	45,6
% Inactifs	46,4	49	51,2	47,6	46,8	46,4	47	49,5	52,1	53,6	54,4
(- de 20 ans,	30,2	32,3	33,2	30,6	27,8	25,9	24,2	22,7	21,9	21,1	20,7
+ de 60 ans)	16,2	16,7	18	17	19	20,5	22,8	26,8	30,3	32,5	33,7

Source : INSEE

Un fonds a été créé par le gouvernement de Lionel Jospin mais destiné à combler les déficits futurs de la retraite par répartition. D'une part, les sommes ainsi placées sont insuffisantes face à l'enjeu. D'autre part, cela ne règlera que partiellement le problème car le rapport actif/inactif conduit à terme, soit à une baisse des pensions, soit à un allongement important de la durée du travail.

Aux États-Unis où les retraites sont uniquement réglées par capitalisation, certains fonds de pension, particulièrement bien gérés n'appellent même plus les cotisations car elles ont suffisamment de réserves pour financer les retraites de leurs clients.

188

CONCLUSION

Comme je l'ai expliqué dans mon introduction :

> Trois philosophies politiques découlent du fait que l'on favorise l'un ou l'autre des trois partenaires de l'entreprise : les salariés, les actionnaires ou les clients.
>
> Si l'on favorise les **salariés**, on mécontente les actionnaires et les clients. C'est le **socialisme**.
>
> Si l'on favorise les **actionnaires**, on mécontente les salariés et les clients. C'est le **capitalisme**.
>
> Si l'on favorise les **clients**, on doit associer à la réussite de l'entreprise, les actionnaires et les salariés. **C'est le libéralisme participatif**.

Ce ne sont ni l'État, ni les syndicats, ni les actionnaires qui dirigent l'économie, *ce sont les clients. Sans client*, pas d'entreprises, pas d'emplois. Il faut donc tout faire pour les satisfaire en priorité.

Je n'ai voulu, dans ce livre, que suggérer, à ceux

189

qui nous gouvernent et à leurs successeurs, ce qui me semble le plus sûr moyen pour développer l'économie et atteindre l'objectif prioritaire que tous les partis politiques recherchent : la réduction du chômage, le plein emploi, l'augmentation du niveau de vie pour tous.

Cela passe par la promotion de l'homme, libre et responsable, et l'application d'un libéralisme étroitement lié au progrès social et à la participation.

Il y a beaucoup de suggestions dans ce livre, dans des domaines divers, qu'ils soient politiques, sociaux, économiques, financiers, idéologiques, même.

Je voudrais en rappeler quelques-unes dans le résumé qui termine ce livre.

Résumé des propositions du programme
faites dans ce livre
pour relancer l'économie

1 – SUR L'EMPLOI

- Tout en conservant les 35 heures comme horaire légal, supprimer toutes les contraintes sur les heures supplémentaires.
- Ne conserver, sur les charges sur salaires, que la retraite et le chômage. Faire payer le reste sur toute activité marchande (chiffre d'affaires moins les salaires).
- Généraliser le travail à mi-temps pour les mères de famille avec une aide complémentaire de l'État.
- Nouvelles notions d'embauche pour une mission.
- Supprimer toute contrainte aux emplois intérimaires et à durée déterminée.
- Mise en place de la notion du chômeur temporaire.
- Application généralisée de la gestion participative dans toutes les entreprises et administrations.
- Arbitrage en cas de cessation de règlement par les banques.
- Caisse nationale de financement pour les entreprises nouvelles.
- Avances remboursables sur un produit.

– Statut du chef d'entreprise et des artisans, assimilés aux cadres.
– Recul du seuil des PME et artisans.
– Travail autorisé le dimanche et jours fériés avec l'accord du personnel.
– Obligation d'organiser le reclassement des salariés 6 mois avant tout licenciement.

2 – <u>SUR LE PLAN FISCAL</u>

– Nécessité absolue d'harmonisation fiscale européenne,,
– Réduire l'impôt sur les sociétés à 30 %,
– Adopter l'impôt sur le revenu à un taux maximum de 30 % CSG incluse, applicable à tous les revenus après déduction des charges de la famille, logement, scolarité, santé.
– Supprimer tout impôt et charges sur les retraites.
– Supprimer totalement l'impôt sur la fortune (ISF).
– Supprimer totalement l'impôt sur les successions.
– Impôt sur les plus-values ramené à 10%.

3 – <u>SUR LE PLAN DE LA JUSTICE</u>

– Suppression de la prison préventive et de la garde à vue sauf pour les délinquants dangereux et agressifs.
– Accélérer les procédures par l'embauche de magistrats.

- Réduire les procédures d'appel.
- Revoir la loi sur les mineurs et pénaliser les parents.

4 – SUR LA FORMATION

- Supprimer l'obligation scolaire jusqu'à 16 ans. La ramener à 14 ans. Supprimer le collège unique.
- Remettre en valeur les notes et les prix pour les enfants.
- Supprimer les non-redoublements.
- Orientation des moins doués vers le travail en alternance avec activité professionnelle.
- Supprimer la carte scolaire et mettre les écoles en concurrence.

5 – SUR LA CONDUITE BUDGÉTAIRE

- Réduction des dépenses de l'État et du nombre de fonctionnaires et suppression des déficits budgétaires à terme.
- Privatisation des services publics.

6 – SUR LE PLAN SOCIAL

- Aide accrue de l'État en faveur des personnes défavorisées, handicapées, 3e âge, 4e âge.
- Aide aux mères de famille, salaire aux mères de famille, travail à mi-temps, protection des mères vis-à-vis des pères défaillants.
- Construction de crèches.

7 – <u>SUR LE PLAN IDÉOLOGIQUE</u>

- En associant dans les entreprises les salariés, la direction, les actionnaires à un seul but, satisfaire le client, on entre dans l'ère du Libéralisme Participatif où toute tension sociale doit disparaître et où chacun doit être motivé par ses responsabilités.
- En choisissant comme objectif de toute entreprise de donner satisfaction aux clients, on change de système économique et politique.

8 – <u>SUR LE PLAN EUROPÉEN</u>

Jusqu'où veut-on aller? Europe fédérale ou Europe des Nations?
Priorité à l'harmonisation fiscale et sociale.
Priorité à l' intégration par petits pas.

9 – <u>SUR LE PLAN GÉNÉRAL</u>

Comme l'a dit Georges Pompidou : « *Il faut arrêter d'emmerder les Français.* »
Comme l'a dit Tony Blair : « *La bonne politique c'est celle qui réussit.* »

La meilleure façon de réaliser ce programme serait d'y associer tous ceux qui y souscrivent, qu'ils soient de gauche ou de droite. Je ne sais pas qui appliquera un jour ces propositions mais j'ai l'intime conviction qu'ils réussiront là où les autres ont échoué.

J'ai confiance dans les Français, dans leur compétence, leur dynamisme, leur volonté de bien faire. Mais je dois constater que s'ils réussissent aujourd'hui encore à développer l'économie, ce n'est pas grâce aux mesures gouvernementales mais malgré elles.

Ce serait si simple à faire... Pourquoi ne pas essayer dès 2002.

Paris, le 11 avril 2001

Je serais heureux que des lecteurs m'écrivent pour m'indiquer ce qu'ils pensent de ce programme, ce qu'ils approuvent et ce qu'ils critiquent. Cela m'aiderait à le perfectionner.

Ils peuvent m'écrire à l'adresse suivante :

M. Serge Dassault
9, Rond-Point des Champs-Elysées Marcel Dassault
75008 PARIS

Aubin Imprimeur
LIGUGÉ, POITIERS

Achevé d'imprimer en septembre 2001
N° d'impression P 62399
Dépôt légal mai 2001
Imprimé en France